人文阅读与收藏·良友文学丛书

舒乙题

U0863134

**原丛书主编**：赵家璧

**特 邀 顾 问**：舒　乙 赵修慧 赵修义 赵修礼 于润琦

出 品 人：马连弟
监　　制：李晓琤
执　　行：张娟平
统　　筹：吴 晞 姚 兰
装帧设计：赵泽阳

特别鸣谢（按姓氏笔画排列）：
韦　韬 叶永和 李小林 沈龙朱 陈小滢 杨子耘
张　章 周　雯 周吉仲 舒　乙 蒋祖林 施　莲
姚　昕 俞昌实 钟　蕻 郑延顺 赵修慧
以及在版权联系过程中尚未联系到的作者或家属

特别鸣谢：
上海鲁迅纪念馆
北京鲁迅博物馆
北京大学中国语言文学系
复旦大学中国语言文学系
中国作家协会权益保障委员会

人文阅读与收藏·良友文学丛书

# 第四病室

巴 金著

中国国际广播出版社

良友版《第四病室》平装本封面

晨光版《第四病室》封面

良友版《第四病室》内文

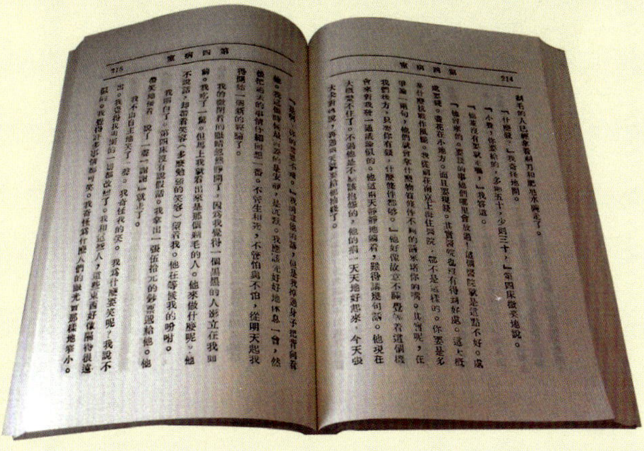

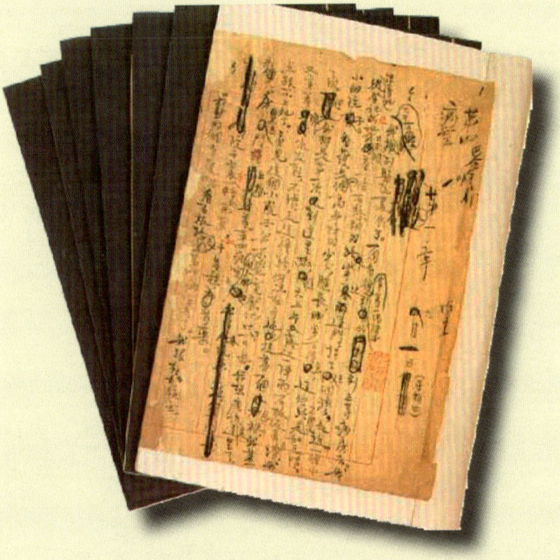

巴金《第四病室》手稿

# 《良友文学丛书》新版出版说明

二十世纪三四十年代，著名编辑赵家璧在上海良友图书公司老板伍联德的支持下，历经十余年，陆续出版《良友文学丛书》，计四十余种。其中三十九种在上海出版，各书循序编号，后出几种则无。该套丛书以收入当时左翼及进步作家的作品为主，也选入其他各派作家作品。其中小说居多，兼及散文和文艺论著；第一号是鲁迅的译作《竖琴》。丛书一律软布面精装（亦有平装普及本），外加彩印封套，书页选用米色道林纸，售价均为大洋九角。

《良友文学丛书》选目精良，在现在看来，皆为名家名作；布面精装的装帧更是被许多爱书人誉为“有型有款”。不可否认，在装帧设计日益进步的当下，这套出版于二十世纪三四十年代的丛书外形已难称书中翘楚，但因岁月洗汰，人为毁弃，这套曾在出版史上一度“金碧辉煌”过的丛书首版已然成为新文学极其珍贵的稀见“善本”。

在《良友文学丛书》首版八十周年之际，为满足现代普通读者和图书馆对该丛书阅读与收藏的需求，我们依据《良友文学丛书》旧版进行再版（四种特大本不在其列）。本着尊重旧版原貌的原则，仅对旧版中失校之处予以订正。新版《良友文学丛书》采用简体横排的形式，以旧版书影做插图，装帧力求保持旧版风格，又满足当下读者的审美趣味。希望这一出版活动对缅怀中国出版前辈们的历史功绩和传承中国文化有所裨益，也希望广大读者多提宝贵意见和建议，以便我们把日后的工作做得更好。

# 《良友文学丛书》新版校订说明

一、本丛书收录原良友图书公司编辑赵家璧主编《良友文学丛书》共四十六种（四种特大本不在其列），乃为目前发现且确系良友版之全部。

二、此番印行各书，均选择《良友文学丛书》旧版作为底本，编辑内容等一律保持原貌，未予改窜删削。

三、所做校订工作，限于以下各项：

（1）将繁体字改为简体字；

（2）原作注释完全保留；

（3）尽量搜求多种印本等资料进行校勘，并对显系排印失校者在编辑中酌予订正；

（4）前后字词用法不一致处，一般不做统一纠正；

（5）给正文中提到的书籍和文章及其他作品标上书名号，原作书名写法不规范、不便添加符号者，容有空缺；

（6）书名号以外其他标点符号用法，多依从作者习惯，除个别明显排印有误者外均未予改动。

# 前　记

一

先生：

你大概已经忘了我吧。可是我却记得你。去年五月下旬的某一天我在公园里跟你见过一面。由朋友A君的介绍，我和你谈过廿多分钟的话。当时我曾告诉你，我新从一家医院出来，又要到一家医院去。你问我去治什么病，我答说割胆囊。你说，这也是一种生活经验，不妨写下来。我说，我想试一下，要是写得成功，一定请你替我看一遍。你没有表示拒绝。

在医院里我真的开始写起日记来，后来却中断了。那自然是开刀后的事。不过出院后住在某父执的家中我又凭着记忆补足了它。但我并没有敢把我这草率的病中日记寄给你看，一则我知道你忙，二则我不知道在桂林大火后你逃到了什么地方（我记得那天你说过你要回桂林去）。直到桂柳沦陷后我读到你的新著《憩园》时，我才知道你又回到了四川，而且还继续做你的“发掘人性”的工作。因此我想起了我那本尘封了的病中日记，我找出它来重读一遍，我觉得它虽然没有什么艺术价值，可以供世人阅读，但对于像你这样愿意了解人性的人，它也许有点用处。我决定把它寄给你看。不过原稿十八章字数过多，我不想多耗费你的时间，我删去其中的一部分，留存十章，算是一个整数。我没有抄下副稿，我也用不着副稿。我把原稿寄给你，让你自由处置。

然而有两件事情我还得向你“添说”。我用了“添说”两字，因为那是我无法在“日记”中叙述，而又必须让你知道的。

一、到今天我还没有打听到杨大夫（杨木华大夫）的下落。我不知道她究竟到过衡阳没有。医院方面得过她六月二十二日到柳州的电报，但那是在衡阳被围攻了两星期之后才收到的。那便是她的最后的信息了。我问过好些从衡阳一带逃难出来的人，都答说不知道有这样一个人，在路上也没有遇见过她。

二、给朱云标母亲的信，我至今未写，因为我没有问到她的通信处。我到××坡××器材库去找过朱云标的同事，同乡和朋友。奇怪，他们都说不知道。（下略）

陆××

一九四五年二月

二

××先生：

（上略）《病中日记》我决定交给书局出版。我想用“第四病室”作书名。“日记”写得不怎么好。不过跟那些拿女人身上的任何一部分来变戏法的艳字派小说相比却高得多了。在这纸张缺乏的时期中，我们多耗费一些印书纸，使色情读物的产量减少一分，让我们的兄弟子侄多得到一点新鲜的空气呼吸，我们也算是报答了父母养育之恩，或者照另一些人的说法，是积了阴德了。

最近我听见一个从湘桂逃难出来的朋友说，去年八月金城江大爆炸的时候，他看见一个姓杨的女大夫非常勇敢而热心地帮忙着抢救受难的人，有人说她受了重伤死了，又有人说她同全家的人坐火车由柳州到金城江，列车停在站上，她一个人下车买食物，她回来时列车被炸着火了。她没有能够救出她的亲人，她自己也死在连续三小时的大爆炸中。据说那个杨大夫是一个浓发大眼的豪爽小姐。

不过你可不要相信她就是杨木华大夫。因为姓杨的小姐在中国不知有多少，姓杨的女大夫自然也很多，浓发大眼的豪爽小姐更是我们常见的了。况且我那朋友并没有说过她的名字就是木华。根本他就不知道她的名字。

我们可以忍耐地继续打听杨木华大夫的消息。

收到你的“日记”的时候（它在路上走了四个月），我一个朋友刚刚害霍乱死去，这里的卫生局长（用我们家乡的土话解释，他倒是名符其实的卫生局长了），却还负责宣言并未发现霍乱。今天在人死了数百（至少有数百罢），而局长也居然“发现”了霍乱之后，我还看见苍蝇钉着的剖开的西瓜一块一块的摆在街头摊上引诱那些流汗的下力人，停车站旁边人们大声叫卖冰糕，咖啡店中干净的桌子上，客人安闲地把一碟一碟的刨冰倾在泗瓜水杯子里，无怪乎盟国的使节也染到了虎疫。住在这里，人好像站在危崖的边缘，生命是没有一点保障的。要是我看不到你的日记印出就死去的话，请你为我谢谢我们的卫生局长，因为这是托了他的福，他间接地帮助多数平民早升天国，将来历史会感激地记载他的名字的。

巴金

一九四五年七月

# 第一章　六月一日（星期四）

下午一点钟我搬到医院里来了。一个看护拿着一块牌子引我到三等病房去。我跟着她从登记的地方出来，顺着一条石板铺的路，穿过两道门，拐了三个湾，走进一个小小的院子。看护是一个高身材的少女，腿长，脚步下得急，这条路不用说是她走惯了的。但是我却是第一次到这里来，这天上午落过一阵雨，石板还有点滑，我又穿着胶底皮鞋，不惯走这种路，何况右手还提着一个包袱，我差一点跟不上她了。看见这个小院子我不觉宽慰地吐了一口气，我想应该是这里了。那个大房间黑漆的门楣上挂着“第四病室”的木牌。院子里一丛芭蕉，十多株芍药。

那个看护沿着石板路走进第四病室去了。我跟在她后面。

跨进那道两寸多高的门槛以后，我得到第一个印象：到处都是床和人。正对着门有一张条桌，桌上放了一堆纸件，钢笔和墨水。我跟着看护走到条桌前面，她把我介绍给坐在那里的一位穿蓝色旗袍烫发的中年女人，她称她做“汪小姐”，把手里的牌子交给她，就匆匆地转身走去了。

汪小姐站起来，一面看牌子，一面问我：“陆先生胆囊发炎?”我答道：“是。”她又问：“陆先生自己带铺盖来吗?”我答道：“没有。”她便解释地说：“这里铺盖少，病人多，洗得不勤，不大干净。自己带铺盖来，好一点。”我说：“我以前不晓得。”我心里倒想：“住在医院里，还怕什么不干净!”

她不再问什么了，就指着右边角落里一张空着的床铺对我说：“床已经铺好了，第五床，请过去休息吧。”她微微一笑，便把头掉开了。

我抱着我的一包衣物，穿过病床中间窄小的过道，走向她指给我的那张病床。第五号，一块黑底白字的洋铁号牌挂在床头墙上，不会让人看错。许多对陌生的眼睛把我一直送到第五号病床。

床上铺着白布被单，是新近洗过的，不过上面还留着一块饭碗口一般大的黄色药迹。这使我记起了汪小姐的话。床头靠着墙，左手挨近第六号病床，右边靠近第四号，不过中间各有一条过道，各隔着一个小小的方木柜，那是靠着床头白粉墙安放的，左边柜上放着两个吐痰的杯子和两把茶壶，看那放的样子，显然是给我们两人分用的，第六床的柜子被铁架占去了。方柜下面有门，里面分两隔，全空着，可以存放我带来的衣物。床下有一个方凳，凳上放着一把起了一点锈的夜壶。

我不需要别人给我解释，便知道在我住院的期间，我可以自由使用的东西就只有这么一点儿。我再看脚下，这是一片阴湿，污黑，不十分平坦的土地；我又往上看，上面没有天花板，屋顶相当高，两边墙上各有两堵通气的高窗，两边木壁上各有两排可以撑起放下的格子窗，糊窗的白皮纸破了，就不曾重糊，现在成了麻雀来往的航路。这病房比尤医生家的病室差得太多。不过它并没有使我失望。这只是三等病房，每天只收三十元住院费；并且连伙食费连普通医药费都算在内，比起最下等的旅馆最坏的房间还要便宜。在这里住上两个月，它的全部费用是我负担得起的。所以我得感谢尤医生把我介绍到这个医院来。

我把衣包放在床上，打开它，拿出肥皂，牙膏，牙刷放在柜上，把脸帕挂在脸帕架上（柜子的一边钉得有一个脸帕架），把别的衣物塞在柜子里面。柜子并不大，不过我带来的东西也不多。

做了这些事情以后我感到了一点疲倦。我觉得头有点晕，又有点发烧。我想躺下来休息。我便脱下学生服折好，放在枕下，把枕头垫得高高的，我穿着绒线衫睡在被窝里，一面随意地看望我四周的情形。那些病床，那些病人，那些陌生的面孔，那些新奇的声音渐渐地吸引了我的注意。我这一排一共四张床，号码是从四到七，都是床头靠着白粉墙的，但第四床同第七床还有一边依傍着木壁。在我的脚下放着第十二床，床头朝着我的脚，它左边也有一张床，那是第十一号，每张床的右边靠近床头都有一个放东西的方木柜。

我正在这样移动我的眼光时，忽然一个不熟习的声音从我的左面送过来。

"先生，请吃饼干。"

我惊讶地侧过头去看。说话的是第六床的病人。他伸出光光的右膀拿了一块饼干放在嘴里嚼着，胸前被单上正摊开一包饼干。他的眼光从饼干上移到了我的脸上来。

"我不饿，谢谢你。"

"你不要客气呵，我是吃不完的。"

他说着，他好像在笑，可是我却看不见他的笑容。他的脸带红黄色，面容是年青而健壮的。五官也颇端正，只是眉毛和眼角都往上斜，成了倒八字的形状，颇像戏子上装后的眉眼。这给他那朴实的农民的脸孔上涂了一点怒容。他的左膀高高地举起来，上面缠着绷带，从肘拐一直缠到手腕，只露出一只手，手指弯曲着，被吊在一个铁架上，这个简单的铁架就放在方木柜上面，而且是用麻绳缚牢了的。

“你的左膀?”我的眼睛望着铁架，嘴里吐出了这半句问话。

“跌伤的，骨头跌断啰，”他说着，也看了一下他那只跌断的手臂。

“怎么跌断的?”我又问一句。

“我跟我们库里一个同事，坐三轮卡到××去玩。司机真混蛋，才走了一公里，就把车子开翻了，我们两个都受了伤。我过了好半天才醒转来。一脸一身都是血。先抬到××医院，那个地方只有一个勤务兵照应，病人要茶要水都不方便。我住了两天。这里有病床，我就搬过来。”他一口气说了这许多话，他说得慢，但我也不想阻止他。他说的是普通话，不过带着江浙人的口音，吐字并不十分清楚。他身子躺得笔直。说话时他只微微动了动右膀，脸稍稍向我这面偏了一下，两个眼珠向着我滚来。

“你住院有几天了?”我在他停了嘴包好饼干的时候，问他。

“今天第七天了，进来的时候说是两个星期就可以接好的，”他说着，一面把饼干放到方柜上面去。“真苦，动都不能动一下。”他解释地添加一句。他两道浓眉皱得更紧了。

“不要紧，苦两天就会好的，”我这样安慰他。

“说不定。第一床那个人睡了两个月了，还没有听说要取石膏架子。我连石膏都没有上，”他指着靠门边的第一号病床说。

我朝他指的那张床看，我只看见被单下面耸起一大堆东西，我看不清楚那个平睡在枕上的头。

“他是接腿骨吧？”我又问。

“是给机器打断的。你隔壁第四床是割盲肠的。”

我听见他这样说，便把脸掉向右边去看第四床的病人。那里没有枕头，一张灰白色的脸平平地放在垫被上。眼睛半睁开，嘴唇没有血色，急促地吐着气。

“病得厉害吧？”我仍旧把头偏回左边，耽心地问道。我心里跳得很厉害。我有点害怕，我也是来开刀的，并且是大手术。

“这倒不要紧，过两天就好的，比不得我们。请问你贵姓？”

“我姓陆。”

“我叫朱云标。”我并没有问他的姓名，他自己说了出来。其实他不说我也会知道。我无意间看了他的号牌一眼：床号下面就贴着他的住院单。他是上月二十六日入院的。“我在××器材库当库员。”

这时我忽然闻到一阵小便臭，不觉自语道：“哪里来的臭气？”

“老郑来倒小便壶啊，”第六床接着说。

我不知道老郑是谁，但我看见一个工人提了一只铅桶朝着我们这面走来，他把桶放在第四床床脚边，却去拿了第六床第七床的便壶来，把小便倾在桶里。我听见一阵溅水声，正要拿手帕蒙鼻孔，一股带大蒜气的尿臭已经扑到鼻孔里来了。工人把便壶放回到原处，又去把铅桶提到第七床床脚放着。又是一阵暴雨声和一阵臭。工人放回便壶后，我看见第六床伸了右手到床下面去摸凳子。他的手只能挨到凳子的一只角。无论如何他拿不到便壶。

“哎呀，又是这样乱放！”第六床皱紧浓眉自语道。接着他大声唤道：“老郑！老郑！”

老郑已经到第九床那里去了，他回过头板起脸孔问道：“什么事？”

“小便壶我拿不到呀！”第六床着急地说。

“拿不到，你讲话客气一点。说一个‘请’字，又不是花钱的事。我们也是人啊！”老郑说着，他那张四方脸还是死板板的，不说肉，连颊上挨近鼻梁地方几颗麻子也不肯动一下。他也是浓眉，厚嘴唇，只是鼻子却蹋的，眼白上牵了几根红丝。

“总是这样凶，我才只说了一句话，”第六床诉苦般地自语道。

老郑走过来，嘴里叽咕着，伸手把第六床床下凳子拉了一半到外面，他又拿起便壶用力在凳上一放，一面说：“现在拿得到罢。你啊吧，你啊吧。”他并不正眼看这病人，就气冲冲地走了。接着倒尿的声音又响起来。

“这个工友为什么这么大的脾气?”我感到一点儿不平，又觉得有点儿奇怪，暗暗想道。可是第六床却不作声了。

我也不想再讲话。我有一点儿睡意，就微微闭上眼睛。

我迷迷糊糊地过了一会儿，这中间我好像听见隔壁第四床病人的呕吐声，但我也并不注意。

“试表，试表!”少女的声音在我旁边唤着。我睁开眼睛。一个矮胖的看护小姐站在我床前，她递给我一支温度表，说：“好好地衔在嘴里。”我点点头。我把它放在口里，我想笑，想说：“难道这个我都不知道!”我又听见她在说：“把手伸出来!”便把左手伸给她让她去数脉搏。她默默地用铅笔在一个小本子上写了两三个字就走了。我听见她又在唤第四床：“试表！试表!”那个割了盲肠的病人发出两声苦痛的呻吟。

“你还难过吗?”少女的声音问道。

病人含糊地答应了一句，我听不出他在说什么。

“你要喝水，是不是?”她柔声再问。

病人短短地应了一声。

“我拿给你喝好啦。”她拿起柜上的茶壶，俯下身去，把壶嘴放到病人的口边，让水慢慢流进病人的嘴里。

“够啦。等一会儿再喝吧。”她像在吩咐一个小孩似地说。我看那个病人，他嘴边有一圈短短的胡子，额上有好几条绉纹。他至少比她大十多岁。在他面前她却露出那样的大人气。她其实不过是一个十七八岁的女孩子。

“胡小姐！胡小姐！”第九床的病人在唤她。

“哪样？”她抬起头问道。

“你今天进城吧？”

“我今天不进城。方小姐进城。你要买哪样？”胡小姐微笑道。她的脸形像一个“曰”字，是扁圆的。

“方小姐是那个身材高高，脸长长的吧？”第三床的病人坐起来说。他是一个三十左右的人，颧骨略高，牙齿稍稍突出，头发剪得带着滑稽相。

“那是袁小姐，人家脸并不长啊。方小姐就是那个举止呆呆板板，不大爱笑的，不过人却是很好的。试表！”她说着，走到第三床跟前，把表递给那个病人了。

“说好，我看这个医院里就只有你胡小姐好，没有哪个比得上！”第三床带笑说，他还不把温度表放进口里去。

“不要乱说啊。医院里有四个病室，你没有见过的护士多啦！”胡小姐笑答道，她又催他一声：“快试表，不要拿着玩！”她一面在数他的脉膊。

“我又没有发烧，还天天试温度干什么！”第三床不在乎地说。

“那不管。你只要住院一天，不管病好没有好，就得试温度，验脉膊，”胡小姐说完，就向着第二床走去，不再理那个多话的病人了。

我口里还衔着一支温度表。她不来拿去，我不能忍耐，只想取出来让自己先看一下。我果然取出来了。可是我把它横着拿在手里，始终看不出水银升到多高，我看了一会，还是不知道我的温度多少。

胡小姐来了。“不要自己拿出来乱看。”她责备地说，就把温度表从我手里抢了去。我问她：“发烧吗？”

“有一点点，不要紧，”她答道，便匆匆走开了。

第四床的病人忽然哇地一声吐起来。我听见第三床在喊：“胡小姐，快来，第四床吐了。”

“不要紧，他是要吐的，”胡小姐回过头来朝第四床望了一眼，简单地答道。她继续向着病室里唯一的条桌走去。那是她们护士办公的地方。条桌后面还有一块略带方形的空地。正面壁上开了一堵大窗，两边各放着一个放药品和用具的带柜的橱。

第四床止了吐，歇了一两分钟，却含糊地叫起来，声音不大，我只听见“小姐”两个字。我不知道他要什么。我看他，他脸色黄得真难看，嘴唇痛苦地微微动着。

“胡小姐，胡小姐，第四床叫你！”第三床大声说。

胡小姐正站在条桌前和护士长汪小姐讲话，就掉转头来问了他一句：“哪样？”

“他请你过来有事情，”第三床带笑说。

胡小姐迟疑一下，还是走过来了。她一直走到第四床床前，埋下头声音温和地问那个病人：“你要哪样？是不是要喝水？”

病人诉苦地说了一句话。声音还是不清楚，不过我听懂了他的意思：他心里难过，要睡枕头。

“不行，你打过麻药针，不好睡枕头。今天故意把你枕头拿走的。再难过你也得熬过今天，一天熬过就好啰，”胡小姐摇摇头说。

病人应了一声就不再响了。我却开始想着：他还是半身麻醉就这样难受。我将来开刀时要用全部麻醉。那怎么受得了！这样一想，我心里真有点害怕了。我掉过脸不敢再看他。我勉强闭上眼睛，想睡一会儿。

“老郑！老郑！你去给我叫碗大卤面来。”我听见一个好像熟习的声音在大声说。我睁开眼，看见老郑端了一个木盘盛着几个浅口的土饭碗，他走到第四床跟前，放了一个碗在方柜上面，说：“你自己会吃吗？流质。”病人哼了一声。老郑也不去管他在说什么，就转过身向第三床问：“苏先生，你喊肉丝面？”

“大卤面，快点儿去，我饿得受不住了！”第三床露出一排黄牙齿带笑说。

“好的，”老郑答应一声，他又向第七床走去。他留下一个碗给那个病人。

“老郑，老郑!”又是第六床的呼唤声。老郑回过头憎厌地朝第六床看了一眼，连哼也不哼一声。

“我要买鸡蛋，”第六床似乎还没有感觉到这种恨意，他只顾自己说，他的右手正伸在枕头下面摸索他的钞票。

“刚才走过你面前，你连屁也不放一个。走过了你倒要买东西啦，我又不是你公馆里的听差，”老郑咕噜着。他并不理睬第六床，却端着木盘，从第八床床脚边的过道，到对面的一部分去了。

老郑去远了。第六床的右手抓着几张钞票，压在被上。他呆了似地望着老郑的背影，半晌才吐出一声“啊哟!”接着是一声叹息！他的眉毛和眼睛显得更朝上竖了。“何必这样欺负人!”他用了一种古怪的声音低低说。我害怕多看他这样的神气。

“他们那种人只晓得要钱，你给他一点钱，他就不会这样的，”一个陌生的声音接嘴说，说话的人坐在第八号病床上。一块白布（也许是一方手帕）从他下巴一直束到前额，在发际打了一个蝴蝶似的小结，那两只小翅膀高高地翘着。这样一来，他的脸显得丰满多了。他穿着一件灰布棉背心，和一件白布的衬衫。

“给钱也要到出院时候，这里又不是旅馆客栈，”第六床咕噜着说。

“现在不比从前了，生活这样高，天天在涨，哪个人不要钱，”第八床的病人接嘴说。第八床和第三床排在一根直线上（在我的眼睛看来，它们算是横放的），中间还留了一大块空地位，两张直放的病床占据了这地位的一大半，那就是第十一床，和十二床。十一床的床头靠近第九床的床脚，十二床的床头邻近第二床的床脚。

“老沈，你又在讲什么？讲个笑话吧？”第三床带笑打岔道。

“现在不好讲笑话，小姐要干涉的，”第八床笑答道。“我在讲医院。就说住院吧，从前在南京上海，只要搬进医院，你身上不用带一毛钱。现在连胶布都要自己去买来。没有胶布你休想换药。再说：你缴了一笔住院费，不等你出院，过两天钱扣得差不多啦，入院处的彭先生就会跑来像讨债一样逼着你要钱。简直跟客栈一样……”

“少讲点话好不好。你们病轻的人不在乎，人家现在要休息。第四床今天才开过刀，”胡小姐突然走过来抱怨似地插嘴说，不过她脸上仍旧现着温和的表情。

“好，老沈，不要讲了。免得惹起胡小姐生气，”第三床嬉笑地说。

“今天让胡小姐刮了胡子啦，”第八床笑答道。他又转向胡小姐半开玩笑地说：“胡小姐，好，你怎么也学起袁小姐那个样子来！你本来是个好人。”

“你快不要乱说。人家袁小姐也是好人，”胡小姐的胖脸上绽出了一丝笑意。

“是，我晓得。这里的小姐都是好人，没有一个不好的，”第八床说着，自己忍不住先笑了。

“好，好，请你不要讲了。等会儿大夫来碰见，又要怪我们护士不负责，”胡小姐微微皱起眉毛说。她说完便掉头走开了。

第八床做了一个鬼脸，这是对着第三床表示的。他不再作声了。第三床也躺下去，用铺盖蒙着头睡了。

但是屋子里并不是静寂的。别的病人在讲话。后来胡小姐也在同汪小姐谈话。一个穿红绒线衫的护士从外面进来，在条桌前立了两分钟又匆匆走出去了。接着一个矮小精悍的护士走进来。她站在药橱前面取什么东西。

大夫进来了，来的不只一个，有男有女，穿着一样的白色工作衣。他们笑谈着进来。前头一个就是给我看病的冯大夫。我第一眼就认出了他。“他应该来看我的病了。”这样想着，我感到一点宽慰，同时又有一点兴奋。

冯大夫和别的大夫们围着条桌站了一会儿，他们在谈话，在看病历表，在写字。我的好奇的眼光只能探索到这一点。……但是冯大夫和一个女大夫向着我走来了。女大夫手里还捧着一个放了好些药瓶的长方形匣子。她比冯大夫矮一个头，身子却比他宽。浓发，大眼，厚嘴唇，特别引人注目。他们立在我的病床的两边。冯大夫张开他那仿佛用墨笔绘上两撇八字胡的薄嘴唇，和蔼地笑问道：“你好吗？——今天进来了。”

“还好。”我点点头，过后又急切地问他：“明天就可以开刀吗？”

冯大夫不回答，却反问我：“你不觉得什么痛苦吧？”

“不，”我不加思索地回答。

“后天给你照X光相，”冯大夫看了看病历表，说。

“照了X光就可以开刀吗？”我又问。

“不一定。看了相片再说，”冯大夫答道。他揭开我的铺盖：“让我看一下。”

他已经在门诊室里看过了。但是他说还要看，而且旁边有一位年青女大夫（她至多不过二十五六岁），我有点不好意思当着她的面露出我的肚皮。不过我不能违背大夫的命令。我终于把穿在身上的衣服（绒线衣，衬衫，汗衣）向上挽起来。他俯下头，摸摸，敲敲，听听，然后叫我盖上被。他用英语和女大夫讲了几句话。她也用英语回答。我不明白他们讲些什么，我只听懂几个单字，却连接不起来。

女大夫开始向我问话。她问得详细，从我父母和家庭状况，我的职业，以及个人嗜好都问到了。她问一句，我答一句。她说话快，只见嘴在动（因为我这些时一直在偷偷看她的嘴唇），好像在背书似的。我觉得有许多问话和我的病完全没有关系（后来我听见每个大夫对新入院的病人都问着这样一套话）。冯大夫在她问话的中间走开了。

“现在我给你取血来验，不要怕，不会痛的，”她用这个来结束她的问话，她转过身向着方柜，在她那木匣子里取什么东西。“你向右偏一下，”我听见她这样吩咐。我顺从了。我的左耳被针扎了一下。并不怎么痛。我继续把右边脸颊压在枕上。过了片刻，我觉得她用棉花在我耳朵上揉擦了一下。我想应该没有事了。果然她捧着木匣子，沿着十一床旁边的过道走向条桌去了。

“这个女大夫姓什么？”我转过脸去问第六床。

“我不知道。”第六床摇头回答。

“她吗？姓杨，杨大夫，”第八床插嘴说。

“姓杨，杨大夫，”我跟着在心里念了一遍。我喜欢看她那亲切豪爽的脸貌。

“你怎样？有什么不舒服？”一个温和的声音在我右面响起来。是谁在问？难道又来一个大夫给我诊病？我又把脸掉向右边。

一个瘦小的大夫背向着我，正在向第四床问话。

“我心里难过得很，”病人回答。

“那是麻药的关系，开刀地方痛不痛？”大夫又问。

“有一点点。我不想吃东西。”吐字比较先前清楚，声音还是微弱无力。

“这不要紧。你这两天不能乱吃东西，只能喝点水，吃点流质。”

“我没有枕头睡不好。只想吐。我想睡枕头。”

“今天不行。明天就给你睡枕头。你要是忍不住，请小姐给你打一针；要是晚上还睡不着，你请小姐给你吃点睡药，等会我给小姐关照一声。”

病人听见大夫这番话，有气无力地应了一声。大夫走了。病人又发出两三声短短的呻吟。

过了一阵，其实时间相当长久，不过我没有计算时间（我的表停了）。我还以为这不过是一会儿的功夫。在这中间我有时闭上眼睛养神，有时又睁开眼，向各处看看；有时又和第六床说一两句话。我不再觉得身上有什么地方不舒服。相反的，我感到一点安适。

我看见一个年青人从门外走进来。深灰色衣服上黏着油腻，腰间系了一条围裙。袖子挽起来。我一看便知道他是饭馆的堂倌。他来这儿做什么？我想道。

“老许，我叫的面为什么不端来？我等了两点钟啦。”第三床大声说。“岂有此理！”

“我实在没有空，老郑又没有说清楚，不知道是你叫的，”老许走过来，陪笑地向第三床解释道。“我就去给你端来，好不好？”

“现在不要了，要吃饭了。给我炒个菜吧。炒猪肝，”第三床说。

“老许！老许！”好像四面八方都在叫他。这个年青的堂倌一面应着，一面转动着脸向各处点点头。他又走到第八床那里。

“炒什么菜？”他笑问第八床。

“炒一盘蛋，”这是回答。

“老高，老高！”一个带沙的粗声在喊。这声音是从第十一床发出来的。这个病人枕头下垫着靠背，我只能看见他的头，而且这只是一个头顶。头发剪得很短。我看不见他的面貌，却可以猜想到，这个人有一张圆圆脸和一个结壮的身体。

我不知道谁是老高。老许还在同第八床讲话。

“老高！老高！”第十一床继续在喊。声音里似乎含得有愤怒和焦急。

“他不是老高。老高没有来。他是老许，”第八床带笑地接嘴说。

“老许！老许！”第十一床立刻接着叫起来。

“你要炒菜吗？”老许掉转身，微微埋下头问道。

“我要一碗炸酱面，要快！”带沙的粗声说。

“好，回头我给你送来。”老许答应着。

“老许，给我炒盘榨菜肉丝，”第九床抬起头来说。我看见他一只手按住左眼，眼睛上垫着一叠纱布。和第十一床一样，他的头也是剪得光光的。他穿着医院里发给病人穿的宽大的白布短衣。

“好，明天早晨还要包饺吗？”老许堆着一脸笑说。

“当然要，”第九床答道。接着又叮嘱一句：“菜要早点送来啊，不要等到饭都冷啰！”

“不会的，”老许答道。这时在对面一角的病床中间有好几个人不耐烦地接连喊着“老许！”讲话声自然也没有停过。老许大声应着急匆匆地走过去了。

“真没有办法，简直把这里弄成菜馆了。叫他不要送菜进来，他总不肯听，”汪小姐大声抱怨道，她这时正在条桌前面同那个短小精悍的小姐讲话。

“你不准他送菜进来，那吗我们从哪里得到营养？大夫天天叫我们吃好东西。医院又不给我们吃。自己出钱买，你们又不准。哪有这种道理！”第八床咕噜地说，他的声音不高，不会给汪小姐听见。

“老郑，老郑！”第十一床忽然粗声叫起来。

没有人理他。他又叫着。

“哪样？”汪小姐立在原处，抬起头，用清晰的声音问道。

第十一床不回答。只是叫着：“老郑，”这是痛苦的声音。

短小精悍的小姐挺着她那还未发育完全的胸部走到

十一床跟前，问他："十一床，你要哪样?"

他含糊地吐出三个字。我听不清楚。我只听见那位小姐加重语气再问一句。

病人的回答仍旧是含糊不清的。不过声音倒更像是痛苦的呻吟了。

"刘小姐，他要大便盆，"第九床取下了左眼上的纱布，坐直身子，替他解释道。

"好的，我给你喊老郑来，"刘小姐说着便挺直身子端起肩头走开了。

我听见她在外面喊老郑。大约叫了四五声。她应该走远了。过了几分钟，她又从外面走进来。她走到第十一床那里，温和地对他说："老郑不在。他就回来的。你等一下。"

"我不能等，喊他快点来!"病人近乎粗暴地说。

"给你说，老郑不在，只好等他回来，"刘小姐板起面孔说。

第十一床不作声了。可是等刘小姐走开了，他却开始低声呻吟起来。

大约过了十多分钟罢，十一床又大声叫"老郑"。

"十一床，你不要吵。老郑不在，你吵也没有用。人家病重的要休息，要静养，你懂得规矩的，"汪小姐仍旧站在原处，只是把眼光射来，她带着教训的口气嘱咐道。

“小姐啊！快，快！大便盆，快拿来！小姐，做做好事啊！老郑！”十一床仿佛没有听见她的话似的，他又叫起来，而且声音显得更痛苦了。

“给你说等着老郑回来就拿来。你喊我又有什么用！”汪小姐不耐烦地说。

“老郑也不晓得跑到哪里去了。一个病室里二十几张病床，从没有空过。这么多的病人，靠他招呼。他倒躲起来不做事！”刘小姐接下去抱怨道。

“小姐啊，做做好事啊！做做好事啊！”十一床继续大声呻吟道。

“给你说，叫你不要吵，别人要静养！”刘小姐过来着急地干涉他。

“你也奇怪。你要大使，喊小姐干什么。小姐们又不是给你拿大便盆的。”第八床的老沈笑嬉嬉地插嘴对十一床说，他高兴自己又抓到同小姐们开玩笑的机会了。

刘小姐便不再作声。她只是用责备的眼光瞅了第八床一眼，又回到条桌那面去了。

“其实小姐们拿回把大便盆，又有什么不可以！既然是来看护病人，还摆什么臭架子！”第九床不以为然地自语道。他躺下来，侧着身子，闭上眼睛睡了。我想他是不会睡着的。

十一床的呻吟声还没有停止。我看见他忽然伸出右膀来，挥动一下，又放下了。是一只带红色的光膀子，非常结实，肌肉要蹦出来了。

“好啦，老郑来啦，”胡小姐宽慰地说。老郑从容地走进病室来，手里提着一把铜开水壶。

“老郑，十一床要大便盆，”胡小姐说。

“等我先冲了开水，”老郑短短地答道，他脸上的表情并不曾起一点变化，或者可以说他脸上根本就没有表情，好像那是用纸糊起来的。他说了便走到第一床方木柜前面拿起壶冲开水。

胡小姐不说话了。刘小姐低声骂了一句：“岂有此理！”可是第十一床这个病人看见了老郑，他又大声叫起来：“老郑，大便盆，快点啦，快点啦！”

老郑只管冲他的开水，并不去理睬第十一床。他默默地走过第二床，第三床，第四床……。一壶冲满了又是一壶。他走到第七床跟前了。第十一床的呻唤声始终没有停止，不过声音轻了些。忽然他动了一下头，好像他想转过脸来看老郑，我看见他的半个脸，但这只是短短的一瞥！黑红色，圆圆的，结实的脸。他的头立刻又放平了。他气咻咻地叫着：“快点啦，快点啦！”

我的心被这叫声搅得非常难过。我用手蒙住两耳，用被蒙着头，但是这没有用。我更加不舒服。为什么大家就让他这样叫下去呢？为什么没有人出来催促老郑把大便盆拿来呢？为什么医院里容许这种恶意的作弄？我想说话，我的喉咙发痒了。我咳了一声嗽。

但是第九床占了先。那个光头的年青人一翻身坐起来。他睁大他那双小眼睛瞪着老郑，用了带怒的声音说："老郑，你就把大便盆给他拿来吧。让他这样吵下去有什么好处！吵得大家都不安宁。"

老郑立刻掉转身，走了两步，对着十一床愤愤地说："不要喊啦，我就去给你拿来！"他把开水壶放在地上，踏着大步往外面走了。

"这种东西，只晓得要钱！你有钱给他，你就是他的祖宗！没有钱你就是他的孙子！"第九床对着他的背影厌恶地骂道。

这次并不要等多大一会功夫，大便盆拿来了。老郑把它往十一床的床沿上一放，大声说："好啦，好啦，你啊吧。不要吵啰。草纸在哪儿？你有草纸吗？拿出来。"

十一床含糊地说了一句话。

"我不晓得，"老郑摇摇头说，他揭起被单（铺盖刚落到床脚了），把那个扁而长的洋磁盆塞到病人身子下面去，过后又大声吩咐："你啊好，不要又吵，我自家会来拿。病房里二十几个病人，我又不是专伺候你一个人的。"他说了便去拿起水壶继续冲开水。

第十一床不再呻吟叫嚷了，病房里顿时显得静寂多了。我也有一种轻松的感觉。我疲倦地闭上我的眼睛，我愿意享受这片刻的休息。

“不吵了，现在该舒服啦，”一个人开玩笑地说，我不用睁开眼睛，便知道这句话是第八床说的。我仿佛看见了他那对滚圆的黑眼睛骨碌骨碌地动着。

“这都是老郑害人，可以说是恶作剧，”另一个人带笑地接嘴说。我听那声音也知道说话的人是第三床姓苏的。

我没有睡，我也不想什么。但是我仍旧闭着眼睛。过了一会，我听见一个陌生的江浙口音在我旁边讲话，我把眼睛微微睁开，朝第六床看。一个司机打扮的中年人站在第六床的右手边，眼光定在第六床的脸上。我又闭上了眼。

可是这两个朋友的谈话（他一定是第六床朱云标的朋友，不用说）仍还断断续续地送进我的耳里来。虽然我并不注意去听他们，但那谈话的大意却被我抓住了，被我这爱管闲事的心抓住了。这朋友是“独汽二营”的一个司机，就要开车去××地方。他来告别，并且劝第六床安心养伤，不要着急。

“医官原说过两个星期包接好，到现在还没有上石膏，都是骗人的话，”第六床烦躁地说。

“治病有快有慢，哪里说得准！医官不会害你的。这个医院不敲竹杠，医官也有名，病该几天好，就不好早一天出院。你横顺请准了假，多住一两个星期也不要紧……”

这次第六床又来打岔了："你不晓得这个地方真闷死人啊！我只想早一天回到库里去。……不过我又害怕会成残废。……"他停了停，又说："我前年正月底出来，我娘总不放心，她不肯给我走。我一定要走，就走啰。如果我成了残废，我这辈子就没脸见我娘啊。……我想起，就有点懊悔……"

我睁开了眼睛。

"你哪里会成残废？这个医院外科主任黄医官很出名，他不知道接好了多少断骨头！……我们营里好几个弟兄，都是他治好的。"

"我运气太不好，我不是黄医官看的。是林医官，福建人，他讲话我听不大明白。……他脾气不好。多问他两句话，他就不高兴。……我看他治不好我的病，"第六床绉紧眉头说。

"你不要乱想！这点小伤哪里会治不好的！……"那朋友说。

"开饭啦！老许怎么还不把菜送来！"第八床大声说。

"他等一阵再不送来，我们吃完饭就不要啰。我们要他端回去！"第九床笑着说。

"你好好养病。不要着急。我回去啊。我后天出发，明天再来看你。你要不要买点东西？"第六床的朋友稍稍向外移动一下，对病人勉强做一个笑容，温和地问道。

“我不要……”病人摇摇头回答，但马上又改变口气说：“你带点大蒜头来。”

“好，我走啦，”那朋友再说一句，就向外走了。

第六床挺直地躺在床上。我想说一两句话安慰他。我把眼光射到他脸上去。他板着脸，两只大眼角各缀了一颗眼泪。我不敢出声了。

一个工友模样的人两手端着木盘走过来，盘里盛着六碗饭，有干的，有稀的。他走到第六床跟前，问道：“要干饭吗稀饭？”（这时盘里只剩下三碗了。）

“干饭，”第六床答道。工友把饭碗放在床沿上。“再要一碗，”又说；工友再放一碗干饭在床沿上。第六床动动头又说：“你把我柜子下面那块木板拿出来。”

工友不作声，却把木盘放在第六床的被上，弯下身子去拿起木板递给第六床。他端着那碗稀饭问我，“要稀饭吗？”

“好，给我，”我坐起来接过碗。碗里有调羹。我就捧着碗，尝了两调羹白稀饭。我望望第六床。他已经把木板放在胸前，两碗饭都摆在木板上。他伸出赤裸的右膀，正用调羹在搅拌一个碗里的干饭。两只眼睛注意地盯着饭碗。

“就吃白饭吗？还有没有菜？”我侧着脸问他。他好像没有听见。他不理我。

但是我的疑问已经得到解答了。老郑端了菜来。是一样地用浅口的土饭碗盛着，放在木盘里端了来的。第九床不要，第八床也不要。第六床要了，我也要了一碗。是豆芽，做法：干煮或干炒，都说得通。还放得有一点盐，有味道。但我没有吃，只喝了一碗白稀饭。第六床却吃光了整碗黄豆芽，并且吃了两碗干饭。

我再看别的病人。第八床在等着外面的炒菜。第十一床却大声叫着："老郑，小姐，添饭！"

"十一床饭量倒很好，每顿至少吃两碗干饭。"第九床在和第八床谈闲话，他刚把眼光从十一床那里收回来，好奇地说。

"他没有内病，当然吃得，"第八床答道。

"我看他内病厉害。你不觉得，他现在有点神志不清，他总是不肯喝水，"第九床说。

"不过他不像来的时候那样喊痛啰。他刚来的那两天才怕人，"第八床说。"我从没有见过烧得这样凶的人！"

"你还怕他不叫痛。等一阵医生来给他打盐水针，就够你听的！"第九床笑了。

"吃饭吧。老许的菜不会来啰，再等下去，连饭甑子都端起走啰，"第八床提议道，他就走下床来，一面还说："我给你带碗饭来。我还有酱菜。"

"老许真拆烂污！等一阵他送菜来，我一定要他拿回去！"第九床气愤地说。

第八床添了两碗饭来，递了一碗给第九床。他又从柜里拿出一个罐子，放在第九床的柜上，打开来，两人共吃着。

他们吃完饭不久，工友们把碗筷调羹和饭甑全收走了。他们正在大声谈论老许究竟会不会送菜来的问题。仿佛叫过菜的人都参加了这个讨论。连对面那一角里也有人发言响应。于是老许进来了。他也端着一个木盘。他跨进门槛，就听见一些人说："不要啰。饭都吃过啰。拿回去。"

他似信似疑地向各处望了望。他朝着第九床（或第十一床）走来。他摆出一副客气的笑脸。

"真的吃过啰。你不信，到厨房去问问看。哪个叫你不早送来！我还特地嘱咐过你，"第九床带着幸灾乐祸的神情说（他还露出一种报复的满足）。我觉得他这时的面貌正像一个小孩玩了恶作剧以后的得意的面容。他想笑又故意忍住了笑。

"拿回去。下次你再这样，我们就不照顾你啰！外头馆子又不只你们一家！难道我们一定要吃你们的菜！"第三床插进来大声责备道。

"我实在忙不过来，老板又不肯多请人，请你们原谅，"老许陪笑道。

"原谅不原谅，另是一个问题。饭吃完啰，只好请你把菜给老板送回去。我们不能光吃菜啊，"第九床得意地笑着说。他的眼睛快眯成一条缝了。

老许还没有答话。十一床忽然呻吟般地叫起来："老许，面！我的炸酱面来没有？"

"来啰，来啰，"老许连忙答道，他那带着呆板的窘态的脸上现出了一丝笑意。他走到十一床的床头，在柜上放下面碗，揭开那个盖在碗上的碟子，然后把插在围裙间的筷子取出一双，递在那只伸出来的黑红色的手里。

"你扶我，扶我一下，"十一床吃力地说。我看见老许放下木盘，把身子俯在床头。病人发出断续的两三声呻吟（声音并不大），最后老许抬起头来说："好啰罢。"病人含糊地哼了一声。我又看见老许把面碗递给他。他不再出声了。不过他吃面的声音很响，我看他吃面一定相当费力。

老许端着木盘走出去了。第九床满意地笑起来，说："今天老许回去一定要挨老板一顿骂。这不怪我们，哪个叫他拆烂污！"

"你莫忙得意。这几样菜他明天会照样给我们送来！你想他们那种人还有好心肠吗！"第三床安闲地坐在床上，两只腿在被单下面屈着，膝头抬得高高的。他正拍着右膝盖在哼京戏。听见第九床的话，他便接嘴说。

"不怕他，不怕他。我们记住明天不吃那几样菜。我们明天另外叫几样菜。他就没有办法啰，"第八床说着，他做了一个滑稽的笑脸。

“好，我们明天早晨不吃炒猪肝，炒鸡蛋，榨菜肉丝……”第九床说到这里，又得意地“嘻嘻”笑了。

“对，我们大家记住，不上他的当，”第三床接下去说。他也蒙着嘴在笑。

我觉得奇怪：几个病人会为着这么一件小事情笑得像快活的孩子一样。可是他们谈得很高兴，而且反覆地谈论着，一直谈到一个年青的大夫走近第十一床来的时候。

“怎么样？今天吃糖没有？喝了几壶水？”大夫望着十一床发问道。

“喝了，”十一床答道。他又提高声音着急地说：“我今天喝过水啊，不要打针啦。”

“又要打盐水针啰，”第八床伸出半截舌头偷偷地笑道。

“好，今天只打几瓶。你忍一下就过去了，”这个长长脸，面貌和善的大夫温和地说。

“我不要打啦，我不要打啦！”十一床摇摆着头号哭似地说。

可是汪小姐搬了一个木架子来（我忽然想到这跟衣架相像，以前就放在药橱旁边，我不知道是做什么用的），放在十一床的床脚，架子上挂着一个大口的玻璃瓶，有一根橡皮管通下来，这橡皮管在中途又分成了两股，每股头上各套了一支针。两支针都放在玻璃瓶里，瓶口用一方纱布盖着，瓶内已经有了一点盐水。胡小姐拿了三瓶盐水来，放在柜上。汪小姐揭开纱布取出针，递给胡小姐，她把三瓶盐水都倒在玻璃瓶里。医生俯下头去揭开被单的下半幅。我听见他说："怎么，大便盆还没有拿走！"

"老郑也太没有道理。好久了，还不给人家把大便盆拿开。他自己也不喊一声，"胡小姐接嘴说。

"给他拿开，"大夫吩咐说。他的声音又说："还是空的！"

"我啊不出来呀！"病人痛苦地粗声说。

"哪个叫你不多喝水！给你说你这样是不行的。听见没有！你要把壶里水喝干，大便就通了，"胡小姐像责备孩子似地说。

"我给你说，你以后要听大夫的话，不然我下次起码给你打十瓶，"大夫说。

"张大夫，我不打啦！我不打啦！"

但是两支针都插好了。他们已经盖好他的被单。汪小姐把架上挂的玻璃瓶弄正，便走开了，她走路很慢，而且身子扭着，她好像缠过脚似的。张大夫在同胡小姐低声谈话。病人睡去了似地不出声。瓶里的盐水逐渐在减少，它走得相当快。

"我不打啦，我不打啦！"病人忽然痛苦地叫起来，他的床动了一下。

“不要动！还有两瓶，打完就不打了，”胡小姐说，她又拿一瓶盐水往架上那个大瓶里面倒。

“做做好事呀！小姐，我不打啦！我不打啦！”病人继续叫嚷着。他又动一下。大夫连忙按住他的大腿，带点恐吓地警告道：

“不许动，就要打完了。万一把针弄断在里面，那就只有开刀，更够你痛了。”

“我不打啦，我不打啦，张大夫，做做好事呀！”

“不要打？我问你还要命不要？你没有钱买药，叫你吃糖你不肯吃，叫你喝水你又不喝。你公司里也不给你送钱来。这两天给你打的葡萄糖针还是我想法给你捐来的。盐水是医院里做的，也不要你花钱。你还不打！要救你的命我也算想尽方法了，”张大夫发牢骚地说。

病人这次用一声短促的呻吟来回答。他应该听懂了大夫的话。

胡小姐把最后一瓶盐水倒在大瓶里，回来把空瓶仍旧放在方柜上。她用怜悯的眼光（我想应该是怜悯的眼光）望着病人，顺着张大夫口气接下去说：“等你的朋友下回来看你，你要跟他们说清楚，要他们去向你公司办交涉，要公司负担你全部医药费，不然你的病怎么好得了！你是替公司做事，烧坏了的，论情理，凭良心，他们都应该出钱把你医好。你懂不懂我的话？”

“懂!”只有一个字的回答。

“你懂就好啰。那吗以后打针你就不要叫啊,”胡小姐说。

“他懂又有什么用?他住院一个多星期,就只有一个人来看过他一回,还不晓得是不是他的朋友,”第九床插嘴说。他做出一种好像什么事情都知道的样子。他的话刚说完,十一床又大声呻吟起来。

“我不打啦,我不打啦!做做好事啦!”

“好啦!好啦!马上就打完了。你还吵什么!”张大夫略带烦厌地说,他轻声吩咐胡小姐几句话,便离开十一床,向我这面走来。他走到第七床跟前,对那个沈默的病人说了几句话。那病人一直是静静地躺着,我没有看见他的脸,也不曾听见他的声音。这时我也听不见他回答大夫的问话。我不知道他害的什么病,但我想,我明天就会知道的。

张大夫从第七床走到我跟前来。他对我微微一笑。我记起来了,那天在门诊室我见过他一面,不过他并没有给我诊病。他年纪不会超过三十,一对眼睛特别小,眉毛也不浓,头发并未加意梳理,稀得可以看见头顶了。但这些并没有使他的脸貌显得难看。而且我觉得他的微笑是有着善意的。

“冯大夫来给你看过了?”他问道。

“是的。他说还不能开刀，”我急切地盼望这句话会使他给我一个较确定较详细的解答。可是他只是笑着说：

“你何必着急呢，治病又不是一天两天的事。”

“我自然希望能早点治好病。住院太久，我负担不起。”

“不会太久的，至多两礼拜，你放心罢。你在哪里办公？”

“我现在赋闲。”

他沈吟片刻，又说：“不过住院费数目很小，连伙食一天也只有五十五元。”他和善地笑了笑。

杨大夫进来了，她也到我床前来。她不说话，含笑地望着我和张大夫，她好像是来找张大夫谈话的。

“不过额外添菜的钱恐怕是一笔大数目。我看三等伙食对病人不大相宜。况且我的住院费还是借贷来的。”我说的是真话。我在入院处预缴的款子还是向两个朋友借来的。

“你缴了多少入院费？两三千罢？”他问。

“我缴了一万。”

“太多了，你用不着缴那么多，”杨大夫插嘴说。

“不过将来可以退还给他的，”张大夫含笑地对她说。

“冯大夫说，开刀时还要人输血。买三百 C. C. 血，大约要花五千元。所以我多缴一点，”我回答。

“哦，”杨大夫点点头。张大夫注意地把我看了三四分钟（我随便估计的时间），过后便说：“要是你经济有问题，我可以找院长商量免去你的住院费。”

我看他一眼，那张脸上还留着微笑的痕迹，始终是和善的面貌。我感谢他好心的帮助，即使这只是一句空话，因为我看出他是一个诚实的人。我说：“那么，请你帮忙。”杨大夫用英语跟他讲了两三句话。

“你好好养息吧。你只管放心治病好啦。”他说着，便同杨大夫转过身走了。他们走去看第四床。杨大夫没有再说话，但是我觉得她像一个长姊似地对我微笑着。

“你现在还难过吗？”张大夫问那个病人。

第四床点点头，哼了一声，无力地翻了翻眼睛望望他。

“不要怕，到明天就会好多了。你不要乱动啊，要好好睡，”张大夫像对孩子说话似地嘱咐道。

病人唯唯地应着，他又翻了翻眼睛，把后脑在垫着干草的被单上用力擦了两下，过后又垂下了眼皮。

“张大夫！张大夫！”第三床唤道。

“什么事？你快出院了罢？”张大夫抬起头问道。

“廖大夫今天上午说要我出院。我实在没有办法出去。我想住到下礼拜三。请你替我讲一声，好不好？”

“其实你的病差不多好了，早点出去也行。”

“张大夫，你不知道我住的地方多不方便。我怕出去伤口又会灌脓。”第三床的脸上露着恳切的哀求表情。两只眼睛牢牢地望着张大夫。

“我看你的伤口不会有问题，”张大夫沉吟地说，过后他又说一句：“你给我看看，”他便伸手去揭病人的铺盖。铺盖揭起，病人的汗衣钮扣没有扣上，病人自己动手解绷带，张大夫给他帮忙。绷带松开了。

“你小心点，就不会灌脓的。你可以出院了，”张大夫匆匆看了一眼，马上就把绷带盖上他的伤口。

“不过我想多住几天。我的钱说不定要到下礼拜二才送得来，早出去我实在没有办法，”第三床固执地要求道。

“看罢。要是病床需要得不太急，多住两天也不要紧，”杨大夫忍不住插嘴说了，张大夫点一下头，温和地笑了笑。

“谢谢你啊，”第三床满意地笑了。他坐起来，张开嘴对着第八床大声说：

“老沈，我可以跟你一道出院了。”

“好的，我请你到我妹夫的茶馆里去耍，”第八床笑着回答。

夜来了。它是在我没有注意的当口进来的。张大夫走后不多久，我忽然觉得电灯明亮起来。其实电灯光并不怎么亮，我们这一角只有从梁木上悬垂下来的两盏半明半暗的灯。发射光芒的还是悬在条桌的上空的一盏。但是四周的黑暗衬托出屋子里灯光辉煌。

夜来了。接着是一段沉闷的时间。好像有一种昏睡重重地压在我们头上。谈话的声音放低了，甚至停止了。代替的是一片仿佛被压抑住的呼吸声。

我旁边第六床呼呼地在打鼾，第四床没有声音。我也有一点睡意了。我听见第九床在同第八床讲话，那个学生模样的年青病人似乎在讲故事。他声音不高，但仍有一些辞句飘到我的耳边来。他好像在叙说美国罗斯福总统同疾病奋斗的故事。我知道那个真实的故事。同疾病奋斗，这是多么令人鼓舞的，尤其是在这时候听见人讲到它。那个人战胜了小儿麻痹症，我为什么不能战胜我的胆囊炎？我为什么还要时时想到我的病痛？我为什么还要害怕……？

我这么一想，仿佛得到了一点安慰。我迷迷糊糊，没有做梦地过了好一会。忽然醒过来了。第九床仍还在和第八床讲话，他吃吃地笑着，第八床也低声笑了。

“笑什么？老沈！大声讲啊！”第三床高声说。

“老洪在讲老和尚的故事，”第八床短短地答应着，他又咕咕地笑了。

“大声讲，大声讲，大家都好听！”第三床笑着说。

“你过来，这是不好大声讲的，”第九床得意地笑道。

“你们过来讲，我也有一个故事，”第三床索性坐起来了。

“你过来坐，这边空气好一点，”第八床说。

忽然一个少女的声音插进来说：“你们小声点讲好不好。什么事情这样高兴？到晚上也不歇一会儿？别人要睡觉嘛。”声音并不清脆，略带沙声，但仍是年青的女音。矮小的白衣女子在第九床跟前站了片刻，她走开了。

“刘小姐，刘小姐，”第八床在后面唤道。他那两只手帕角蝴蝶似地停在他头上。脸被手帕包成更像猴子脸了。

“什么事？”刘小姐回转来，带了责备的口气问道。

“请你给我吃点安眠药，”第八床忍住笑，故意装出严肃的面容恳求道。

“你吃安眠药做什么？大夫没有开过方，不能拿给你吃，”刘小姐正经地说。

“不给我吃药，我睡不着觉，还是要吵的，”第八床说到这里，忍不住笑了。

“真是调皮。你吵，又有什么好处？总是不肯听话。”刘小姐嘟起嘴抱怨道。“马上就要来查病房啰。给大夫碰见教训几句，大家都不好。”她又挺着胸笔直地走了。

“不要紧，有我，”第八床笑道。

“老沈，有你，又有什么用？你有多大面子？”第三床开玩笑地说。

“好啦，不要说啦。你们知趣点。洪文全，你不要再讲话，早点睡罢。你不好好休养，你眼睛更难得好啰。”胡小姐端了药盘走过来，木盘上面摆着几个酒杯样的小杯子。她把木盘放在短柜上，递了一个小杯给第九床，一面说：“吃罢，安眠药。”

“哪里是安眠药？就是我天天吃的那个。胡小姐，你真会开玩笑。刘小姐倒底是你的好朋友，要你来帮忙她，”第九床孩子似地做出一个狡狯的笑容。

“快吃！快吃！”胡小姐催促道。她看见第九床吃了药，便端起木盘走开了。

听了这些话以后，我再也睡不着了。我睁大眼睛望着。我等着她走到我床前，我等着她来给我药吃。可是她端着药盘走过去了。她连看也不看我一眼。为什么不给我吃药？为什么不理我？……

但是查病房的时刻到了。我看见冯大夫，张大夫，杨大夫，陪着一个高身材宽肩膀的大夫和一个满脸须根的瘦小大夫向我们这面走来。他们在每张病床前立了一两分钟，问了病人几句话，或者大夫同大夫交谈几句。他们在第十一床前站的时间比较久一点，仿佛在商谈什么事情。那个身材高的大夫翻了翻手里拿的病历表，把头摇了两摇。我看见他的侧面，却看不出他的脸部表情。

他们来到第六床跟前了。高身材的大夫站在那只被吊着的膀子旁边，他伸手捏了一下病人的手腕，问道："没有什么不舒服罢？今天换过药了？"

"还好，"第六床毫不迟疑地答道。

高身材的大夫不讲话了。他刚掉转身子，冯大夫就指着我对他说了一句英国话。我听不清楚。大概是在讲我的病吧。高身材的大夫走到我的床脚便站住了，用英语向冯大夫问了一句话，冯大夫自然用英语回答，他的答话不只一句，他接连说着，高身材的大夫时时在点头。杨大夫也插进来讲话。她也讲英语。张大夫和瘦小的大夫也参加这个讨论。这些医生都说英国话，但除了高身材的大夫外（我后来知道他便是外科主任黄大夫）都犯了一个毛病：口吃，可是他们讲起本国语言来却是很流利的。

这讨论大约继续了三五分钟，或者更多一点。最后高身材的大夫说了一句话，大家便离开我的病床。他们在第四床旁边停留的时间不多。瘦小的大夫向第四床问了两三句话，又向高身材大夫讲了两三句，便走开了。

他们在第三床旁边没有停留，大家全围到第二床那里去了。然而瘦小医生又回转身来和第三床病人讲话。

"你什么时候出院？明天吗？"我听见他在问。

"廖大夫，我想多住几天，"第三床声音微微颤抖地说。

“你病已经好了，用不着再住院了。外面有好多人等着病床，你也该让一下，”廖大夫坚持地说。

“我想住到下礼拜三。我怕出院早了，伤口又会灌脓。”

“下礼拜三太久了，不成。你伤口不会灌脓了。你要换药到门诊部来换还是一样。住院没有好处。”

“我晓得，不过……”

廖大夫大概是看见他的同事们已经走到第十二床那里吧，他有点不耐烦了，他不高兴地打岔说：“我不管你有什么事情，我只知道你应该出院，你不出去，我就要下逐客令了。”

“我并不是不想出院，不过……”第三床卑屈地向廖大夫解释，可是廖大夫不听他的话，径自走了。

第三床寂寞地坐在床上，两只手抱住膝盖。他默默地呆望着廖大夫的背影。

“老苏，怎样？他又催你出去吗？”过了一会第八床忽然大声问道。虽说声音大，但是已经走到对面去了的廖大夫是不会听见的。

停了片刻，第三床才回答：“我不出去！我要等他来赶我。”

“你不用害怕，你果真不走，他也不会赶你的。我在这里面看得太多了，”第九床安慰他说。

“在第四病室里头，你是第一老资格，”第八床笑着说。

“我还有十二天就满三个月了，我比老陈”（我后来才知道第一床接腿骨的病人姓陈）“老苏都早得多。我倒是想出院，大夫却不让我出去。他要赶我，我倒求之不得，”第九床得意地说。

“我看你还要住个把月，”第八床开玩笑地说。

“这也说不定。其实我现在也不着急了。刚进来时候，心里很急，恨不得马上治好眼睛就出院。现在不在乎了。大夫说住几天我就住几天，”第九床笑答道。

“你放心，这样便宜的旅馆，不会让你久住的，”第三床冷笑说。

“那更好，我可以少闻点尿臭。……现在病房查过了。该老李来倒小便壶了，那种倒法我实在不敢当，”第九床说。

“其实他不必把铅桶提进病房里头来，把小便壶拿到外面去倒，还不是一样，”第八床说。

“从前有个老周就是这样，我进来不到一个月他就走了。大概尿臭有消毒的功用，所以小姐们也不干涉……”第九床说。

第八床笑着说了一句对小姐们不恭敬的话。第九床和第三床都笑了，第二床也笑了。我也笑了一声。

但是铅桶又提进病室来了。老李是一个瘦小的黑脸工人，穿着长衫，腰间束了一根腰带，衣服的前襟挽起了半幅。他带进来可怕的尿臭和溅水声。我连忙把头缩了一半在被窝里。我听见老李的脚步慢慢地走近，又渐渐地走远。人声也逐渐消失，整个病室突然间静了下来。我不是说没有声音。但是声音并不吵闹人，却使人感到寂寞。

不知道谁把我们这一角的两盏电灯都关了。只有条桌上空的灯光明亮地照着一个穿红绒线衫的小姐，她埋着头在看书。

“林小姐，”对面那一角有人用无力的声音唤道。

“哪样？”她问着，便站起来。

“林小姐，请你过来一下，”病人哀求着。

她去了，剩下一张空的桌子。

我的眼皮困乏地垂下来，我要睡了。

# 第二章　六月二日（星期五）

“起来，洗脸！”一个粗暴的声音在我耳边响着。我吃惊地睁开眼睛，我醒了。一个黑影在我面前幌了一下。电灯光刺痛着我的眼睛。眼角的睫毛被眼屎黏在一起，痒得我难受。我伸手去揉眼睛。

条桌前电灯非常明亮。病房里弥漫着一种好像可以触摸但不大刺鼻的臭气。还有一些零落的起伏的鼾声。窗外一片蓝色（一部分的窗户是整夜开着的），天还没有亮，麻雀嘈杂地在外面叫起来。我看我四近的病床。第八床站在床前穿外面衣服；第三床已经坐起来，侧着身子，用两只手在绞干方柜上脸盆里的一方脸帕。第六床正用他唯一可以活动的右手拿着一方带水的湿脸帕在自己脸上乱擦（脸盆放在床沿上）。老李走过来，把这个脸盆拿走了。他转过头看我一眼，问道：“洗脸吗？”

“好，”我应了一声，接着打了一个呵欠。

老李把脸水送来了。是一个画着花鸟的磁面盆，可是磁快脱落尽了。一眼望去，仿佛一盆灰黑的水，其实水倒应该是干净的，温温的并不烫，对我正合适。我匆匆洗了脸，又用我带来的茶杯，从茶壶里倒了昨晚剩下的凉开水，漱了口。屋里人声逐渐增多，这时好像整个病房都醒过来了。

窗外蓝色已经褪尽，天亮了。

“老李，大便盆！老李，脸水！”好像四面八方都有人在叫。

“就来，就来，我只有一双手啊！”老李大声答应着。

他虽然接连地这样答应着，可是叫的人还是不停地在叫。也没有人干涉他们，或者伺候他们。就只有老李一个人在病房里乱跑。那个穿红毛线衫的看护小姐先前到外面去了，现在又同另一个穿蓝绒线衫的小姐说着话进来。她们在条桌前立了一会。蓝衣小姐出去了。红衣小姐拿着那个插满温度表的洋磁杯子向着我们的病床走来。

试表，验脉搏，问大便，——这是应有的早课。在这以后，便是早餐的时刻。我看表，还不到六点钟，这么早！或者是我的表走得慢？

早餐只有稀饭，是由厨房里的工友端着木盘送来的。稀饭来了好几分钟，才有人端菜来：一碗煮豆子，除了咸外，别无滋味。我吃了一碗白稀饭，便不想再吃了。

可是我惊奇地看见第六床一连吃了三碗，最后一碗是红衣小姐过来拿碗给他去添的。我看清楚了她的面貌。长长脸，高高的鼻子，有点像我一个亲戚。但看来她比我那个亲戚和善些。

开过早饭后，静了好一会，忽然进来了五六个看护小姐，全是一个式样的滚蓝布边的白衣，和白头布。红衣小姐办了交代，挟着一本书走了。

她们在条桌前低声谈笑一会便把口罩戴上，我知道铺床的工作就要开始了。又有人在叫老李拿“大便盆”。但老李的影子早已不见了。我想出去找寻厕所。我穿好衣服，下了床，向着门口走去。

我刚走到门前，看见一个工友模样的年青麻脸人，拿了一把扫帚进来，我便要他给我指点去厕所的路。他告诉我：顺着窗下向右手走，走过一道门，再经过“开刀房”旁边，就看得见厕所。它是在一棵大树脚下，和“太平房”是并排的。

我不需要他说得这样详细。可是他偏偏要提到“开刀房”和“太平房”两个可怕的地方。我自己也不知道为了什么缘故，我忽然打了一个冷噤。难道我到这时候还想退缩吗？

这是一个阴天，早晨相当凉。但空气扑到脸上，使人觉得新鲜，舒服。天井里芍药正开着花，还有一条石板路通向后院，我便沿着这条路走去。

我跨过门槛，发觉自己是站在厨房的门前了。那里静静的没有人。我探了头进去看，地方相当宽，很干净，灶上坐着两把铜壶，和一个大的铜器具（我不知道应该称它做什么）。我听见脚步声，便回转身，老郑进了厨房。他看我一眼，对我说："要开水吗？就要开了。"

"不是，我顺便看看，"我勉强笑着说。我看见他又在望我，便客气地添加一句："现在你上班吗？"

"我是一至八，现在是老张的班，"他答道。我想，老张一定就是那个对我提起太平房的工人。

"你们一天也够辛苦啊，"我用了同情的声调说。

"那不是！一个人每天八点钟伺候一个病房，倒屎倒尿都要来，还要上街买东西。有时候还要抬死人！这点工钱也不容易啊，"他对着我发起牢骚来了。

"这倒是真的。不过仗打完，情形就不同了，"我安慰他说。

"都是这样说，不晓得将来是不是这样的，"他带了一点疑惑的神情说。

"厕所在后面罢，"我不想同他再讲下去了，便短短地问这一句。

"转出去，就是，"他点点头说。就在这时第八床从我身边走过，他一定也是到厕所去的。他穿着白布衬衫，灰布背心，淡黄色短裤，衬衫的襟还是露在外面的。他一蹦一跳地走过去了。

我也跟着走去。走出这短短的过道，我见到一片空地，但是一些树木和房屋阻止了我的视线。我第一眼就看见开刀房。那是新盖的黄色的玻璃屋子。玻璃窗被白窗帷遮掩了，人看不到房内的情形。黄色的木门上挂着一块长方形的小牌子，上面写着“手术室”。我不由自主地望着那道紧闭的门，我想：有一天它会为我打开的。我为什么要望着它呢？我不能说。……并且我也不能说我是不是希望那一天早到来。我只知道我盼望那样的一天早点过去。

我看见厕所了。它不是在大树的脚下，它倒在大树的后面，离大树有四五步光景。从我这一面看，应该说是在它左手边，有三间黑漆的木造平房，大门关得紧紧的，也看不见有窗户。它们和厕所中间还隔着一块草地。我不知道它们中哪一间是“太平房”，或者全是的。

厕所的门正对着我。我进去了。里面很干净，似乎比病房还少臭气。一条长长的宽沟和突起的一块一块的方的踏脚石，那不是真石头，却是用水门汀做的，数目大约在十六七八之间，我没有数过它们。在踏脚石中间的小坑里洒得有石灰。我在这些踏脚石中间拣了两块站定了蹲下来，凑巧就在第八床的旁边。他比我更靠里。靠外还蹲着三个人。好像都是大夫。但很快地他们全出去了。只剩了我和第八床。他忽然问我：

“你带了草纸吗？”

我奇怪他为什么要问我这句话。难道他向我讨草纸？不然……这不是一句陌生人交谈时的客套话！

我摸摸衣袋，只有一张草纸。我又摸另一个衣袋，再也没有了。我拿着唯一的一张草纸给他看，我没有用话回答。

“我不要。我怕你没有。这里头草纸也是应该自备的，”他摇摇头说，他奇怪地笑起来。

“那么我没有买草纸又怎么办？可以向医院要罢？”我半奇怪半着急地问他。

“你自己出钱买。合作社有的是。合作社，上午开两个钟头下午开两个钟头，就在第四病室外面那个院子，走出第四病室外面那道门就看得见。你进来时候一定走过的。”

“我没有看见过。”

“那么一定是没有开门。你几点钟进来住院的，上午吗下午？”

“下午，大概一点钟光景，”我回答。

“你什么病，割盲肠吗？”

“不是，割胆囊。”

“这种病倒没听见讲过。是大手术吧？”

“其实也普通。开起刀来，多半算大手术，”我停了一下，才答道。

“我是医眼睛，又说扁桃线发炎，现在差不多全好啰。你开刀，不晓得是半身麻醉还是全部麻醉？我倒奇怪，割掉胆囊，人会不会变得胆小哪？”他不停地霎着眼睛说。

我不愿意别人向我提起开刀的话，我有点害怕。他这几句带玩笑的话听来，更叫人耽心。我只短促地回答一句，“不晓得，”就站起来，准备走了。

“啊，还没有请教贵姓？我姓沈，三点水的沈。”他好像害怕我马上就走出门去，连忙用话来留住我。

“久仰，久仰！我姓陆，”我从没有对人说过这种客套话。这次却很自然地说了，我是存心要讽刺他的，他为什么要这样地打扰我呢？我逃出门外去了。

天不知在什么时候开朗了。灰云已经褪去大半，让蓝空露出脸来。阳光照在树梢。我立在树下，仰头一望，觉得眼睛非常舒适，我畅快地呼吸着新鲜空气。我不过在病室里躺了半天工夫，却仿佛和这样清新的空气分别了几个月似的。

我在大树四周踱了一回。我还不觉得怎么累。我又立在树下，望着开刀房，因为那屋子的门打开了，一个护士从里面出来，随手关上门，转到后面去了。门仍然关得紧紧的，我什么也看不见。护士的白衣刚刚隐去。从那屋后又转出一个女人来。她也穿白衣服，但那是外套似的大夫的工作衣。她没有扣上钮扣，让衣服敞开，当胸露出浅灰色的旗袍。

我第一眼就看出她是杨大夫。身子结实，不算矮，胸部发达，她走起路来一摇一幌的，颇像一个豪爽的男人，不同的是她的胸部随着她身子微微颤摇着。

她向着我走来。她走到我身边了。我还以为她不会认识我，我没有预备招呼她。可是她却对我微笑，大方地问了一句："怎么，你起来啦？"

"病室里空气不大好，我出来走走，"我带笑答道。

她站在我面前，两只大眼略带注意地望着我，温和地说："早晨出来散散步也好，不过不要走多啰。昨晚上睡得好吧？"

"睡得好。可是天没有亮就给人喊醒啰。我觉得病人不必起得这么早。应该让他们多睡一会儿……"

"这是医院里的规矩。其实病人整天躺在床上，随时都可以睡的。而且晚上查过病房就是睡眠时间。不会有睡眠不够的，"她笑着反驳道。她预备转身走了。我连忙用话语留住她。

"杨大夫，你看我开刀不会有危险罢？"我问道，这个疑问并不是我当场随便找来的，它先前还烦扰过我的心。

"不会，不会！"她说着，把头用力摇了两摇，她那堆浓发在我眼前幌了两幌。"上个月我们还医好一个，就是冯大夫开的刀。不会有危险的。你不要怕。"

“我不怕，我不怕，”我说着偷偷望着她那对黑黑的和善的大眼睛，我的耽心真的被她的话一下子消除了。她不像是会说假话的，并且看相貌，她是一个直爽的人。

“明天星期六你可以照X光，”她又说，“下星期可以开刀。你早点进去罢。记着不要多动啊！”她笑着对我微微点一下头就走了。

我觉得心里很轻松，看了看地上的太阳影子，又仰起头吸入了一大口空气，我也离开了这棵大树，我回到病室去了。

我踏上石阶，跨进门槛。靠着两边柱头放得有脸盆架，我便走到右边一个脸盆那里洗了手。我回到第五号病床去。我经过第十一床时，我看了那病人一眼。他正陷在昏睡里面，头偏向右边，下巴靠着肩头，眼睛闭着，嘴半张开，急促地在吐气。一张圆圆脸，紫红的脸色，一脸粗相，完全不像一个病人。

我的床已经铺好了，干净，整齐。我很满意，便脱去外面衣服，钻进被里去了。

胡小姐和一个戴眼镜头发剪得短短的小姐正在铺第六病床。那个小姐大概是广东人，讲普通话很不好。他对第六床说：“你大小便要当心。你又把被单弄脏啦。你懂不懂我的话？”

“我不方便呀！”第六床着急地说。他的脸色一直是红黄的，这时也看不出来更红。他的眼角却显得更往上竖了。

“你讲什么?”那个戴眼镜的护士向他略略埋下头问道。

“唉，我说我不方便呀!”第六床显得更着急了，他伸出他那只光裸的右膀。站在他右边的胡小姐连忙说“不要动，”但是已经来不及了，刚折叠好的被单又弄乱了。他把手膀从肘拐弯曲着，在脸上幌了两下，他用力说：“我一只手不方便呀!”

“手放回去!”胡小姐说，她拿着他的手膀放回到被里去了，然后又把被单拉平。

“不要再动啦，你再动，我就不管了，”胡小姐教训似地说。

“我晓得，”第六床短短地答道。

两个护士便抱着换下来的旧被单，拿着刷子等等走开了。我听见那个戴眼镜的护士问胡小姐：“他是哪里的人?讲话好难懂!”

“他是浙江人。大概没有什么智识，不过你的话也不大好懂，”胡小姐笑答道。

“张小姐讲的是广东官话，毛（没）闷（问）台（题）啊!”第九床插进来，开玩笑地说。两个护士也笑了。

“洪文全，你少调皮啊，等会儿打起针来，你又要叫苦的，”胡小姐转过头装出威吓的样子说。

“不叫，不叫，”第九床故意点头陪笑道。他好像还要讲话，但是忽然叫出了一声“哎呀！”伸起手去摸头。

“哪样？哪样？”胡小姐连忙回转身跑到他跟前去，吃惊地问。一只麻雀“扑——”的一声从第九床的头上飞到窗外去了。

第九床取下手来，一手的脏东西。“岂有此理！偏偏屙到我头上。”他又好气又好笑地骂道。他跳下床来侧着身子在方柜里去拿草纸。

“这是报应，洪文全，你以后还调皮嘛。”胡小姐高兴地笑着说。

“在第四病室住久了，不调皮也学会调皮了，”第九床接嘴说。好几个病人都忍不住笑了。

胡小姐已经转身走了，听见这话，又回来对第九床说：“洪文全，你不要这样说。讲老实话，这个医院就是第四病室里讲话可以随便点。汪小姐人很和平，脾气是很好的。只要吵得不太厉害，她不会来干涉……”

“是，是，我知道，”第九床要笑不笑地说。

“你不信，你到第三病室去看看，那里也是一样的外科病室啊，”胡小姐起劲地说。

“第三病室，那是女病室啊，”第九床笑着说。

“女病室不是一样吗？女人跟男人有什么不同？”胡小姐大声反驳道。众人笑了起来。

“胡小姐，胡小姐，”忽然有人大声叫起来。这声音对我是陌生的。但是我看见了那个人。是第二床，他正坐在床上。脸孔长得像马脸，年纪大约四十岁。

“哪样?”胡小姐转过身，就隔着两张直放的床（十一床和十二床）问道。

“我今天出院了，请你给汪小姐讲一声，叫入院处早点结帐，”第二床说。

“好，你现在就走?”胡小姐再问。她马上加一句：“现在入院处还没有办公。”

“我下午走，我屋里人要来接我，”他声音和面容都带着不小的快乐。

“好的，”胡小姐答道。

“老苏，听见没有?人家出院有屋里人来接。你出院怎么样?”第八床带笑对第三床说。他那张猴子脸有趣地摇来摆去。两只蝴蝶翅膀仍旧耸在他头发间。

“有你作伴还不是一样，”第三床抬起头来，把半个身子靠在壁上，伸手摸了一下他那突出的嘴唇，笑道。

“你这简直是胡说。怎么会是一样?你就是跟我出院罢，进了城，来得及，找个茶馆，吃杯茶。来不及，说声：‘后会有期，’就各自东西了。各人还要去找各人的住处。哪里比得上有家室的人!”第八床说。

“你们不要多讲话，大夫们就要来啰，”胡小姐过来警告地说。

第八床伸了伸舌头，做个滑稽的怪相，就不作声了。第九床轻轻地笑了两声。病室里稍稍安静了片刻。一只小鸟的扑翅声很清楚地送进我的耳里。一个黑黄的影子在空中一幌。接着那只麻雀就站在梁上吱吱喳喳地叫起来。

“胡小姐，你应该叫麻雀不要吵嘛，”第九床开玩笑地说。胡小姐忍住了笑，装作没有听见，却有几个病人响应地笑了。

“老郑！老郑！大便盆！”第十一床粗声哀叫起来。

起初没有人理他。第八床自语似地说着：“又在放警报了。”第三床接着说：“老郑，现在不是他当班，你喊他干什么?”然而这样的话是不会被那个病人听懂的。他仍旧叫着：“老郑！老郑！”他的声音永远是含着痛苦的，虽然我在他的脸上看不出一点病痛的痕迹。他有的是一个健康人的面貌。

“十一床，你不要叫啊，老张就来啦，”张小姐站在条桌前大声对他说，我不知道他听见没有。他现在不叫了，却开始呻唤起来。又是受伤野兽的哀号似的痛苦的呻吟。

这叫声和呻吟使我烦躁……为什么没有人给他帮一点忙，减轻他这痛苦?为什么大家听着，看着，笑着?我想，我或者可以去为他找到老张。我便下床来。站着，我不觉得吃力。我决定走出去。我刚走到门口，就碰见杨大夫踏上石阶来。我有点不好意思地站住了。

“怎样？你又跑出去？少跑点啊！”她和蔼地笑了笑，像对孩子说话似地对我说。

“我到厕所去，”我惶惑中说出了一句假话，我本来用不着对她撒谎的。

她打量我一下，吩咐一句：“那么快点回来，冯大夫就要来啰。”她大步进了病室。

我在她后面应了一声。我就走下石阶，顺着石板路，打算走到厨房里去。

老郑端了一个凳子坐在厨房门前。厨房里没有别人。我客气地问他：“老张在不在？”

“没有看见。你找他什么事？”老郑温和地说，他那张呆板的方脸上绽出了一丝笑意。

“我请他给十一床拿大便盆，”我答道。

“又是十一床。他一天就喊拿大便盆。拿去他又啊不出来。不要理他！由他去喊！”老郑做出厌烦的样子说。

“不过听他那样喊着，心里也有点难过。请你帮忙把大便盆拿给他罢，”我带了一点恳求的调子微微笑着说。

我看见他脸部表情在变化。他的厌烦没有了。温和的微笑在他的方脸上散布。他站起来，说：“我就给他拿去。”我觉得对付这个人我的办法收效了。

我高兴地回到病室里。冯大夫还没有来。杨大夫同张大夫立在条桌前，一边翻阅一些纸件，一边商谈什么事情。我走过十一床跟前，那个病人还在呻唤。我停了脚步看他一眼。他张开嘴吐着气，好像在哼一支歌似的。眼睛大睁的，两个黑眼珠慢慢地在移动，它们似乎在找寻什么东西。但我又觉得他的眼光是茫然的眼光。好些颗汗珠停在他的红黄色的额上。

“大便盆就给你拿来啰，”我对他说，我想给他带来一点安慰。他不回答，却把眼珠朝我站的方向慢慢移了一下。我想，他这时也许不是十分清醒的了。

我刚在床上躺下，老郑把大便盆拿来了。“拿去，大便盆来啰，”他一面说，一面把大便盆塞到被单下面去。病人含糊地说了一句话，我听不清楚他说的是什么意思。

“好啦，好啦！我看你也该灌肠了。大夫喊你多吃水，你偏偏不吃。你明明是跟你自己的性命赌气。你要舒服，你就该喊你的公司给你多送点钱来，”老郑又在那里咕噜了。病人倒反而静了下来。

“老郑，你跟他多讲有什么意思？我看他这个已经不行了，”第九床插嘴说，他说到“这个”时，用手指敲了敲自己的头。“今天你给老张代班吗？”第九床不等老郑答话，又接着问一句。

“不是。陆先生喊我给十一床拿大便盆来的。听见他那样呻唤，心里也不好过。真是前世造了孽。”

“你有空，请你去喊老许给我送一笼包饺来，”第九床客气地说。

“现在怕不行，大夫要来看病啰，”老郑说。

“那末你跟他说等一阵送来也好。我怕他又忘记啰。”

“好吧，”老郑答道。他又转过身子向着我们这一排病床问道：“还有没有人要买东西？我顺便一起带回来。”

我请他买了半斤饼干和一包白糖，我拿了一百元的钞票给他。他告诉我，这两样东西，合作社里都有。比在外面零买便宜些。我看见别人托他买草纸，我记起了第八床的话，我也托他买了一刀。

我忽然想吐痰，连忙在方柜上去找吐痰杯，吐痰杯不见了。只有那把绘着蓝色山水的茶壶。我再看别的病床的方柜，上面都没有吐痰杯。是谁拿了去倒呢？难道我为了这个又要出去找老张，老郑吗？我觉得我应该求助于护士了。但是胡小姐不在病室里。我看见一个瘦小身材瓜子脸的护士在脸盆架前洗手。我不知道她的姓，我就简单地喊道“小姐！”我还噙着一口痰。

“哪样？”小姐回过头来，问道。她擦干了手，便向着我走来。

“吐痰杯，”我指着嘴说。

“拿去倒啰，消了毒就送回来的，”她匆匆答道，还没有走到我床前就转身走开了。

果然不到两分钟光景，一个相当高大的男护士便把吐痰杯拿回来了。他用一个木盘盛着，这木盘不算小，上面放得下十几二十个大杯子。他端着木盘一路走来，到一个床前，便拿下一个杯子。他给我的，柄已经破了。我记得昨天用的不是这一个杯子。我拿起它来吐痰时，心里有一种不舒服的感觉。我想：要是没有好好消毒呢！……这应该是过虑的想法。可是这么一想，我更不安了，我又联想到起身时用的脸盆，脸盆并没有消过毒，甚至没有用水冲洗过，脏的倒出后接着就倒进新的来。要是我用的脸盆刚刚是那个害眼睛的病人用过的，会有什么样的后果呢？……

冯大夫，张大夫，杨大夫一块儿来了。他们站在我的床前，冯大夫在左边，杨大夫在右边，张大夫立在我的床脚。

“今天觉得怎样？”冯大夫温和地问。

“很好，”我答道。

冯大夫翻看了一下手里拿的病历表，又说：“你还有点发烧？”

“不过我不觉得。”

“你爱动不大好。你最好整天躺着不要起来。我怕你发烧会耽误开刀，”杨大夫偏着头对我说，两只大眼圆圆的，黑黑的望着我，嘴角露着笑意。

我偷偷望着她的嘴。就是不说话的时候，她的嘴也是微微张开的。

“杨大夫的话你懂罢？你好好躺着，等明天照了 X 光再说。要是没有问题，下星期就给你开刀，”冯大夫接下去说。

“谢谢你们，”我说。张大夫没有说话。他们走开了。……

一个矮胖的大夫站在第六床左手边，正在解开那只吊着的手膀上的绷带。“……我给你说过叫你不要乱动。明明包得好好的，都给你搞得一塌糊涂……真麻烦……你胶布够不够？拿出来！”

“没有啰，”病人回答。

“那么拿钱出来喊人去买，”大夫不耐烦地说。他把刚解开的绷带又草草地缠好了。

第六床用右手在被单下摸出一个纸包来。“要多少钱？”他自语似地问道。“一百块钱够不够？”

“不够，你先买三百块钱再说，”大夫粗声说，他从病人手里接过了三张百元钞票，转过头，看见先前拿吐痰杯来的男护士正埋着头在用抹布揩拭十二床的矮柜，便唤道："Mister 周。"男护士答应着，马上走过来了。

"Mister 周，请你喊老张拿去买胶布，等着要用的，"大夫说着把钱交给周先生，自己却离开这个病人走到对面的一角里去了。

"唉，他又走啰。就是这样不认真，怎样医得好啊！"第六床竖起眼睛着急地抱怨道。

"他就会来的，你不要急。治病要有耐心才对，"我这样安慰他，我说的是真话。我自己已经学会忍耐了。

"我晓得，我恐怕难好啰。这是我自己运道不好，"他绝望地微微摆着头。他因为左手被缚住那里，动一下头都不大方便，不然我相信他这时会坐起来的。他似乎在用眼光找寻医生，但是他这样躺着，怎么能够看见他呢？

他的等待一定是很痛苦的。我的安慰的话对他不会有什么效用。在昨天上午他还不知道世界上有这样一个姓陆的人，他为什么要相信我的话？

然而杨大夫又来了，她拿了一个木盒子。她把它放在我的床沿上，拿那条宽的橡皮带子缠住我的手膀。我的心跳得厉害。我掉过脸去不看她。我不知道她在做什么。橡皮带子松了。我的手膀自由了，她要走了。我连忙回过脸去看她，问道："这是什么？"

"验血压的，"她答道，她转过身子和蔼地看我一眼。

“就要开刀吗？为什么要验血压？”我又问。

“你要这样着急，就不给你开刀啦，”她摇摇头，很大方地开玩笑说。

“那末我就在医院里住一辈子，”我答道。

“欢迎，欢迎！”她微笑道，露出一排雪白的牙齿。过后换过话题问：“你今年多少岁？”

“二十四，牌子上写得有的，”我说。

“看样子你不过才二十，怪不得你这样急，”她姊姊似的微微一笑说。她捧着验血压器（我不知道它的名称叫什么）走开了。

我望着她那宽大的身影。心里有一种异样的感觉。和她谈些闲话，这使我感到愉快，甚至喜悦。

“拿去！胶布来啰！”我听见这声音吃了一惊，但立刻就知道这是周先生给第六床买胶布来了。他把一叠胶布放在被上，就在第六床的胸前。

“医官啦？他还不来？”第六床并不对周先生表示谢意，却先抱怨起医生来。他的眉头绉得更紧了。周先生没有理他，便走开了，脸上露了点扫兴的神气，好像不满意这个病人连一声“谢谢”也要吝惜。

“小姐，小姐，”第六床唤道，他声音不高，也不大清楚，没有被护士听见。也没有人理他。

“什么事情？”过了一会我忍不住了，便问他一句。

“我找小姐请医官来，”他答道。

“大夫自己会来的，”我说着，一面坐起来看对面，我看见那个胖大夫正立在左边那只角里，似乎在给一个病人换药。我又说：“他在那边换药。”

“这边没有弄好，又到那边去弄，真是不负责，”他又在抱怨。

我无法再说话。不过我心里暗想，空抱怨又有什么用处？还不是只有等着大夫来换药。

大夫在十几分钟以后来了。他的红润的脸上现着愉快的微笑，顺口问着：“胶布买来了？”

“买来了，”第六床低声答道，他把胶布递给了胖大夫。他这人有点奇怪。不管他在背后怎样抱怨，他见了大夫的面却又像个温顺的孩子连话也讲不出来。

“Miss 李，Miss 李，请过来一下，”林大夫转过头向条桌那面叫道。我看见先前同我讲过话的那个小姐答应着，拿着一个洋磁碗走过来。

于是林大夫开始解绷带。换药的工作开始了。我还没有看清楚那个大夫在做些什么（我没有敢正眼去看那只手上的伤痕），却听见一声低低的叫唤：“哎呀！”接着就是林大夫的平静的声音：

“碰都没有碰到，痛什么。……好多了。就是你自己要乱搞……”

“我没有乱搞，”病人张嘴分辩说。

“你没有乱搞，我给你包得好好的，怎么会弄得一塌糊涂……”病人不再分辩。大夫停了一会又说下去：“我这次给你包好，你自己再要乱搞，我下次就不管你了。听见没有?”最后四个字是他板起面孔说出来的。他的手动得极快，已经把那只受伤的手包好了。他刚拿了一根细带子穿过那块小小的方木板去（这木板是用来垫胶布的，手指便弯曲地半伸在胶布下面），接着又把这细带拴在铁架上。这样手膀便被吊起来了。他的工作完成了。严厉的表情被“自满”逐渐赶走了。

“现在舒服了罢，”大夫偏着头看了看他的成绩，得意地问道。

“舒服，”病人轻轻回答，并且答得极快。可是等到大夫走开了，到洗脸架前时，他却一面把手指一伸一屈地动着，一面带着哭相地说：“唉，天晓得，哪里说得上舒服？这只手一定要成残废的。”

他的这种脾气我实在无法了解。我带点不满意的口气问他：“你既然觉得不舒服，那么你为什么又对大夫说舒服呢?”

“给他说有什么用！他还是不管你，”他把眉头皱得更紧了，脸上只有一股怨气，却看不出一点懊悔的表情。我觉得这个人太富于自信心了，但是我还想说服他，至少我要使他知道他的错误。我又说：

“你是来治病的。你不相信大夫，为什么又给他看你的病?”

“我想再换个医院，”他说。

我不再同他说话。我心想：你已经换过一个医院了，还想换几个呢？

下午两三点钟之间第二床出院了。他的太太果然来接他。那是一个苍白脸的女人，年纪不到三十，脑后垂着两根细长的辫子，穿一件淡青色旗袍。她是一个会应酬的人。她温和地和第十二床讲了几句话，又向汪小姐说了感谢的话，然后拿着她丈夫的一个包袱，一只手还扶着他，两个人慢慢地走出了第四病室。他们夫妇跨出门槛之前，并没有忘记向某几个病人告别。两三个病人带着羡慕的眼光望着他们。

他们一走，汪小姐就叫老郑来把第二床的被褥草荐全拿走了，只剩着一付光光的木板。这是老郑当班的时候，冲水，倒便壶的事已经做过了。

我看见这床铺空出来，有点高兴。我想少了一个人，房里空气应该好一点。其实这只是我的幼稚的思想。空气似乎并没有好一些。而且这个病床在一个钟点以后就被一个新的病人占据了。

新病人是一个老头子，他是给人用担架抬进来的。一个穿中山服的中年人在旁边照料他。他进来的时候，张大夫正在给十一床打盐水针。同昨天一样十一床呻吟着，吵着不要打。同昨天一样，张大夫说：“喊你吃糖，你不吃。喊你喝水，你不喝。你还不要打针！你是不是不要命啦?”

“我不打啊，我不打啊!”十一床疯狂地喊着。他动了一下身子。

“你不要乱叫，不要动!”张大夫按住他的腿，命令般地说。“今天只给你打一千二百 C. C.，你要乱叫乱动，我就给你多打一倍!”

“我难过呀！张大夫，不打啦!”十一床仍旧在叫。

“不打啰，就要完啰,”胡小姐安慰他说。架子上那个大瓶里还有半瓶水，但是今天水走得相当快，我看见水在减少着。

第九床在同第一床讲话：“奇怪，他怎么偏偏不爱喝水？说他不喝白开水，给他买了茶叶放进去，买了白糖放进去，他还是不肯喝。他这人真固执!”

“固执？他是跟自己性命开玩笑！我看他不会久。人都糊涂了!”第八床摆出聪明人的神气回答道。

新病人躺在担架上面，等候看护小姐把床铺好。然后由抬担架的人抬他到病床上去。现在他是第二床了。他侧着身子躺在床上，脸向着我。颈项上缠着绷带，好像后颈生疮似的。他脸色白得像纸一样，两颊完全陷落进去，差不多只有皮包骨了。嘴唇的四周有一圈不曾修整过的花白的短须。他闭着嘴含糊地在呻吟，偶尔也睁开眼睛，用他无力的眼光看他面前的景物，眼白带红色，眼角还留着半干的眼屎，连下眼睫毛也被眼屎黏成一片了。

“啊！啊！”他忽然大声叫道，那个中年公务员从条桌前面走到病床跟前来了，还把头俯到他枕边去。

“××那边的钱你要还去啊，”老人用他带沙的声音吩咐道。

“我晓得。你老人家好好养病，不要管那些事情，”中年公务员温和地答道。

老人含糊地应了两声，又静了一会。十一床的叫声也停止了。

杨大夫迈着大步走了进来。她到条桌前和坐在那里写字的张大夫讲了几句话，然后走过来看这个新来的老病人。当她叫那中年人扶着老人坐起来，她解开他颈上的绷带时，我也在床上坐起伸着颈子望那个可怕的疮。是的，可怕的疮，整个后颈烂成了一个大坑，粉红的，深红的，黑的，白的，黏在一块儿，分不出哪里是肉，哪里不是肉，看上去倒像一个腐烂的，虫蛀的桃子，连桃核也露出来了。

“啊哟，烂成了这样。为什么早不来医？”杨大夫吃惊地说。

“他不信西医。一定要请中医看，说是半个月包好。不晓得贴的是什么膏药，越贴越坏。到今天有二十六天了。他受不住才答应到医院来。他本来身体很好，不像现在这样，”那公务员说。

“自然啰，随便贴点膏药怎么行！要是早点送来医院，他不会病到这样的，”杨大夫带点责备的口吻说。

“不要动啊，”她吩咐了一句，便匆匆走到条桌那面去，但很快地又走了回来，胡小姐也跟着她来了。病人始终垂着头坐在床沿上，两只手按住两个膝头，嘴里哼哼唧唧就没有停过。

“老先生，你忍一下痛不要紧，我把腐肉给你弄干净，好上药，”杨大夫温和地叮嘱着，她的两只手开始忙碌地工作；胡小姐在旁边帮忙，这个女孩的脸上带了一点惧怕的表情，她始终没有敢正眼看那疮口。杨大夫的眼光却固定在疮上面，她脸上显露着专注的神情。那个中年人仍旧站在病人旁边，我找不出适当的字形容他的脸色，他似乎比胡小姐还怕看那疮口。他时常呆呆地望着窗外，好像他的心很寂寞。而且我觉得在他脸上除了忧伤外，还有一种厌恶的表情。

“哎哟！”病人忽然大声叫起来，但只是这一声。中年公务员立刻把正向着窗外的眼光转到病人的脸上，轻轻问了一句：“痛得厉害吗？”

“好啦，好啦！就完啦！”杨大夫安慰地说，她脸上现了一点宽松的表情。她开始把新的纱布放到疮口上去。

“痛啊，”病人诉苦般地说。

“好啰，不会痛啰！”杨大夫又说，她几下就把绷带束好了。她嘘了一口气，脸上绽出了一丝笑意，对胡小姐说了一声：“Miss 胡，谢谢你啊！”就让那个宽脸女孩把用具收拾走了。她又对病人说：“老先生，你睡下罢。”又对那中年人说：“你扶他睡下罢。”然后她走到脸盆架前去洗手。

“你回去啊，”老人呻吟地说，声音不大清楚，但我还可以听出来。

“我晓得，”公务员答应着，他用怜悯的眼光望着病人。

杨大夫又走回来，她对那中年人说：“我给你说，他身体太差了。医院里伙食他不能吃的。你每天给他炖点鸡汤，牛肉汤送来罢。”

中年人迟疑着还没有回答，病人却在床上插嘴说：“我吃素啊！”

杨大夫没有听懂他的话，公务员接着解释道：“他是吃长素，不黏荤的。”

“病到这样，还管这种事情。他不多吃营养东西，是不会好的，”杨大夫带着哂笑的神情说。

“不过他很固执，不见得就肯吃荤，我想先买点鸡蛋给他冲蛋吃也好，”公务员低声陪笑道。看他脸色，我知道他此刻心里正焦灼。

“在医院里跟在家里不同。住进来就得听大夫的话。

大夫叫办的，总是对病人有益的事，”杨大夫说到这里，忽然一个面孔对我陌生的护士从外面进来把她叫出去了。

那个中年公务员呆呆立在原处，他似乎在想什么事情，过了几分钟，他埋下头来，靠近病人的脸说：“大夫的话你听见罢。你以后不要再固执呵。你是晓得的，我已经负了两万块钱的债了。大夫喊我炖鸡汤，我哪里来的钱。你这场病下来，我们一家人都完了。你要好好听大夫的话呵。……”

“我晓得，”病人痛苦地呻唤道。他接着还说了一句话，但是我无论如何，听不出是什么意思。似乎他想分辩，然而痛苦或者别的原因使他讲不下去。

“你这个时候跟他讲这种话有什么用处？”第三床应该是一个更细心的旁观者，他一直把头颈伸得那么长。现在他忍不住出来讲话了。

中年公务员吃惊地掉过头来看说话的人，他的忧郁的眼光落在第三床的突出的嘴上，他无可奈何地微微一笑，向着第三床走了两步，客气地说声：“还没有请教贵姓。”

“敝姓苏。你是——”

“敝姓陈。我们是从南京逃难出来的。”

“那位是你亲戚吗，怎么病到这样，才来住院？”

“他是我父亲，”中年人脸上略略露了一点不自然的表情。“其实原先只有个很小的疮，他不肯医，后来大了，他又要找中医看，贴膏药，后来才越烂越大。我早就说送他到医院来，他一定不肯。其实住在家里很不方便。家里房间小人又多，我们又没有医学知识。我劝了他多少次，昨天他才答应来门诊部看看。就是刚才这位女大夫看的，”（第三床插嘴说：“这是杨大夫，人倒很好。”）“她签了字要他住院，昨天没有病床，今天有空我才找人把他抬进来，我还请了一天假。”

“也亏他受得住，烂得连骨头都看得见了。他今年高寿——我看总过了六十罢。”

“今年六十六了。就是这个月的生日。他身体本来很好，并不像现在这样的。不到一个月肉都光了。在家里看他病到这样也很可怜。这几天他嘴里又烂了。吃东西也不方便。”

“这样大年纪，害这种病，真是运气不好。不过我看你也够苦啰，”第三床同情地说。

“还不是！这是自己的父亲，又有什么话说！三四千块钱的薪水要养活一家六口人，哪里够！今天进医院缴的两千块钱还是换掉我女人一个金戒指才凑够的。大夫还要我给他炖鸡汤。可是钱从哪里来？他真要害死我！”

我起初还以为他只是病人的侄儿或外甥，觉得这倒是一个难得的人。现在听见一个儿子向着陌生人抱怨他父亲的病，却有点听不进去，觉得这不大近情理。

“这也难怪他，得了病也就没有办法。只怪生活太高，大家都吃苦，”第三床安慰他说。

“是，要不是生活这样高，他也不会病到这样，起先他图省钱，不肯医，后来也是想省钱没有找好医生……”说到这里他的声音哑了，他马上把脸转开。

第三床也不讲话了，他躺下去休息。那儿子掉过身，回到他父亲床前去。第九床仍旧继续在对第八床讲故事。两个人不时低声笑着。第十一床好像在昏睡，他不动，也不叫了。连我旁边的第六床也睡着了。

我坐久了，感到一点倦意，便躺下去。一种舒适的感觉在我四肢散布。我想睡，但是我迷迷糊糊地过了一会，又惊醒了，我以为我跌了一跤，我却发见自己安稳地睡在床上。我不知道我睡去了若干时间。病室里不太闹，和我先前闭眼的时候差不多。第九床同第八床的谈话还没有完结，现在是第八床在讲故事了。我奇怪他们怎么会有那么多讲不完的故事！第六床把一只光赤的右膀露在外面，手里拿了一本书低声念着。第四床今天好些了，他脸上痛苦的表情淡了不少。他闭着眼在睡，他现在可以睡枕头了。

老人仍旧侧着身子睡在床上。他嘴里不停地哼唧。他儿子已经走了。吃晚饭的时候，厨房里的人端了一碗稀饭给他。他坐起来，用他那瘦得见骨的手捧着碗，用调羹舀着稀饭，慢慢地送到口里。他的手抖得厉害，他常常把嘴俯下去将就手。喝完一碗稀饭，对他是一件很艰难的工作。他差不多每喝一口，就要哼一两声。我望着他，我的心都紧了。

他还没有放下饭碗，杨大夫匆忙地进来了。她好像是进来拿东西的。但是她转身出去的时候，看见老人坐在床上，便走到他床前来，大声嘱咐道：

"老先生，你不要坐起来嘛。你要吃饭，你请小姐喂你。你身体太弱。你不能再劳动啊。"

老人抬起头看她一眼，呻吟般地应了一声。

"那末你现在就睡下去。你不要坐起来嘛，"杨大夫又说。她站在旁边望着他，似乎要看见他睡下去才走开。他只好把碗放下，虽然动作很慢，但是他终于睡下去了。

"杨大夫！杨大夫！"对面那个角里有病人在叫她。她答应着走到对面去了。

"做个大夫也不容易。病人找你，你就得去，不管你怎样忙，"第三床自语地说。没有人接话。过了半晌，他又提高声音对着第八床说："老沈，你出去看看老许好不好？"

"怎么样？你要叫面吗？"第八床问道。

"叫面还是其次的事。第一是去把老许骂一顿，问他为什么今天一天都不来，"第三床带笑地大声说。关于老许不来的事，他们今天已经讨论了好几次，而且已经发过不少的怨言了。他们昨天有过一点小小的得意，还定下一个对付老许的计划。原以为今天还可以得到一个笑乐的机会。可是老许的不来把他们的计划打破了。今天两顿饭的时候，他们对着那碗只能说是“煮熟”的素菜发脾气，着急。但现在事情已经过去了。他又可以带笑地讲起这件事了。

“好，我就去，我也要吃点东西。我去给你叫碗大卤面来，老洪也要叫面，”第八床说着，就掀开被坐起来穿鞋子。

“我也要碗大卤面。不吃点好的睡不着觉。我住医院花的钱还是给馆子拿去的多。至少总有七八千罢，”第九床屈着腿坐在床上。两只肘拐平平地压着耸起的膝头。他的态度是颇安闲的。

“这样说，嘴比命更要紧啊，”第八床接嘴说了一句，便一跳一蹦地走出去了。

我无目的地把眼光掉向窗外。我右手边第二床和第三床头上两面窗全撑着，左边只开着第八床头上的一面。右边的窗较低，窗外露着一段芭蕉的绿叶。左边的窗较高，银杏的树梢像画图似的绘在窗外的蓝天中，从那不太繁密的枝叶间露出来一角样楼和黑漆的栏杆，一个白衣的影子在廊上闪过。

但是窗外的蓝天渐渐在变色，时而淡，时而深，有时像灰色，有时又像亮蓝。树影也渐次模糊。突然楼窗里燃起电灯来。

我收回眼光。条桌前的电灯亮了。一个人站在十一床的左侧。他穿着短装，是一个工人模样的人。我看不清楚他的面貌。

“你好点吗？”他问。

“唉，”十一床叹了一口气。“好点。我心里难过。”

“还在吃药罢？医官怎么说？”

“我没有钱，哪里有药吃？大夫天天打针，痛死我啦！他们都不来看我，”他呻吟地说，声音粗，吐字不清楚，不过我可以懂他的意思，猜出他的话。

“他们都没有空，路又远。我向秦股长报告，秦股长一点也不理会，我有什么办法？”那个朋友诉苦一般地解释道。

“你没有跟他讲医官说我的病很重，要钱医治吗？……”

“我向秦股长报告，×××（十一床的姓名）病势很重，要求公司添发医药费。秦股长把我骂一顿，说是我说假话。他还说×××受伤是他自己不小心，公司并没有责任，上次给的医药费已经很够。现在一个钱也不肯多给。……”

“没有钱，我的伤怎么好得了？天天打针受罪。……我身上一个钱也没有。他们就让我死在医院里不来管我。……”十一床叫号般地说，声音里渗杂着哭声，颇像一只垂死的猛兽的哀号。

那朋友停了一会，然后安慰他说：“你好好地养伤罢。不要着急。我们慢慢给你设法，再跟公司办交涉。”他从衣袋里掏出几张钞票，放在病人枕边，又说：“这里八十块钱，你先拿去用。”

十一床没有回答，也没有拒绝的表示。

“我走啰，你好好养病，不要着急啊，”那朋友站了两三分钟后又说，于是掉转身往外面走了。病人转动着头，他似乎在用目光送他朋友出去。过后我看见他把朋友留下的钞票收起来放在枕头下面。

这时老郑进来了。他向我们这面走来，问道：“买不买东西？我好一起买回来。”

“我买，我买！”第十一床大声说。老郑便在他床前站住了。我又看见他伸手在枕头下面摸索。

“你买东西，快拿钱来！”老郑等得不耐烦了，不客气地催促道。

“白糖，白糖，四十块钱！”十一床用力说，他把钱交给老郑。

“盐水针打怕了，他现在要吃糖了！”第三床带笑地自语道。我听着，心里很不好过。我觉得寂莫。我又有点惧怕。真的，那个人就在我脚下，和我隔得这么近。要是我处在他的境地呢……我不敢往下想了。

白糖买回来的时候，我听见那病人吩咐老郑："多放些在茶壶里。"

"我拿茶壶给你，你自己放罢，"老郑回答道，把茶壶和糖都放在床沿上，他捧着代别人买的东西走开了。

十一床默默地，吃力地动着手把糖放在茶壶里面。过后他似乎捧着壶喝了几口。我不知道他喝了多少。

但是老郑下班前提了开水壶来冲水的时候，他走到第十一床跟前，我听见他在说："还是大半壶开水，你究竟吃了几口。大夫喊你多吃，买了糖来，又不吃，看你这个病怎么得好啊。"

"我吞不下去，"十一床声音含糊地答了一句。

"吞不下也要吞啊！你没有钱吃药，只好将就一点！"老郑又说。病人不作声了。

这晚上十一床就没有再叫过。我们这一面一共是十二张病床。在这些病人中，就只有第二床偶尔低声呻吟，但后来他也落进昏睡里去了。病室里，充满了一起一伏的打鼾声，一种混合着西药味的臭气重重地压在我的心上。我睡不着。

护士小姐很早就关了我们这面的电灯。也没有人讲话了。第九床和第八床似乎比别的病人睡得更熟。

第四床今天可以吃东西了。他吃"半流"（医院里的用语，就是汤里面还有一点煮得软软的容易消化的食物，像番薯片，猪肝等等），并且没有吐过一次。他的病的确有了起色。下午我午睡醒来，偏过头去看他，他还对我微笑，他似乎想和我讲话。可是他没有开口。我也什么都不曾说。

# 第三章 六月三日（星期六）

今天上午我照过 X 光了。我急切地想知道结果怎样。可是杨大夫告诉我应该等到下星期。她还说：假如我没有别的病症，那么我下星期三便可以进开刀房了。

我除了等待外，别无办法。我想，我是能够等待的，而且我应该等待。我决定不再去想我自己的问题了。为了消磨时间，为了排遣寂寞，我得多多观察，这就是说多多留心看别的病人在这病室里怎样过日子，怎样对付他的病痛。

这一层我的确做到了。

昨晚这个病室里相当静。十一床整夜都没有吵过。第二床只哼过几声，这个老人大半时间都陷在昏睡里面。但是到今早晨护士小姐刚刚铺好床以后，他忽然叫了起来：

“我要出恭啦！”老人的声音不算十分大，而且不很清楚，但他叫喊时却是费了力气的。起初并没有人理他，恐怕他们都没有听懂他的话。后来第三床替他向护士小姐解释明白了，护士小姐又去唤了老张来。

老张把大便盆送到第二床跟前，并且放好在盖被下面。老张刚走开，病人忽然坐起来了，他就坐在大便盆上，裤子褪到膝盖边。大腿瘦得只剩皮包骨，那形状极易使人联想到鸡腿。我怀疑，他怎么能用它们走路。

“你怎么坐起来啦，大夫喊你躺着不要动……”第三床关心地提醒他道。但是他埋着头不出声。两手没有地方搁，便抄在胸前，整个身子发出微微的颤动，好像随时都会倒下去似的。

护士走过来了，那是张小姐。她立在第一床的床脚，带着好奇的眼光望着老人。她说：“老先生，你这样不行啊，杨大夫说过不要你起来。”

过了片刻老人才说：“不起来，我啊不出啊！”他的头不停地颤摇。

“其实你多试试就会习惯的，”张小姐说：“你快睡下去。你懂不懂，你身体太弱，不应该多动。”

老人不作声，也不躺下去，只是可怜地摇着他的身子。

“真固执！不管自己身体受得住受不住，也不听大夫的话……”张小姐没有办法对付这个老病人，她不满意地摇摇头，站着再看了几分钟便咕噜着走回到条桌那边去了。

但是她刚走到条桌的右端，老人又大声叫着："草纸，草纸!"

"医院里没有草纸，要你自己买，"第三床对他解释道。

"我没有钱啊，"老人说。

"你没有钱去买，就不用，"第三床略带不满地说。

"草纸！草纸!"老人不理会第三床，他只顾喊着。

张小姐赌气般地又走过来，她把两三张裁过的草纸掷到老人的被单上，短短地说："拿去，拿去!"马上转身走了。

"到底是你本领大，你用草纸不花钱。我们要用，十三块钱一刀，"第三床嘲笑地说。

老人不回答。他却蹲起来。他身子摇摇颤颤地动着。他似乎想侧着身子躺下去。可是不知道怎样，他却向前一扑，身子匍倒在被上，一个光屁股耸了起来，腿弯的皮肤有几种颜色，白的像发霉，红的像腐烂，黄的带黑。

"喂，你怎样啦?"第三床惊问道。他从床上站起来。他这句话把张小姐和汪小姐同时唤来了。老人开始呻唤着。

"老先生，怎么啦?"她们也跟着惊问道。张小姐还说："你爬着干什么?"

"我看他是坐不住，倒下去的，"第三床说。

她们扶着他在床上躺下去。对她们这应该是一件吃力的工作。他整个身子不停地颤抖，嘴里也继续发出低声的呻吟。汪小姐带着一种勉强忍住的厌恶的表情把大便盆拿到床下去。张小姐在替这病人整理铺盖和被单，我看不见她的脸，但听得见她的声音："以后不要再坐起来啊，你听见没有?"

年老的病人含糊应着，我不知道他是不是听懂了张小姐的话。她们离开病床的时候，我听见张小姐对汪小姐说："怎么他身上这样臭?"

"应该给他洗次澡。我也有点闻不得他那种气味，"汪小姐答道。

我照了 X 光回来，杨大夫正在病室里给第二床换药。病人没有坐起来，他是扑倒在床上的。杨大夫手一动，他就哼一声。药换过了。杨大夫问他："你今早晨吃过什么东西?"

"稀饭，"老人含糊地回答。第三床马上替他接下去："他吃了半碗稀饭。"

"半碗稀饭哪里够！你儿子给你送鸡汤来没有?"杨大夫又问。

"我吃素。"

"吃素没有用。我喊你吃什么，你就得吃什么！不然我治不了你这个病。"杨大夫命令说。"你儿子来，你记着要他给你炖鸡汤送来。"

话刚说完，病人的儿子就进来了。他右手提了一付生猪肝，左手拿着一个大的洋磁漱口盅。他站在床前，杨大夫抬头见着他，便对他说：“你来得正好。鸡汤送来没有？”

这个中年人怔了一下，过后便把猪肝提得高高的，一面回答道：“我买了新鲜猪肝来了。我就去煮汤给他吃。”

杨大夫皱了皱眉，微微摇着头低声说：“单吃一点猪肝哪里够？你每天至少得给他送两碗鸡汤来。”

儿子露出一个苦笑，声音略带颤抖地说：“我实在负担不起。为着他这场病，我已经花了两万多啰，钱还是借来的。要再借，我也没有本领了。”

“那么你给他输血吧，这是不花钱的，”杨大夫稍有一点不快地说。

儿子吃了一惊，惧怕的表情立刻罩上脸来。他略带慌张地说：“我贫血，头晕，我不能输血的。”

“你不用怕，我还没有验过你的血啊！”杨大夫说：“还不晓得你的血对不对。”她怜悯地微笑了。

那个中年公务员似乎知道同大夫争论对自己不会有好处，便把眼光掉到猪肝上面，自语道：“我去把猪肝煮给他吃。”他转身往外面走了。

杨大夫也默默地走到条桌那边去。她一直坐在条桌前做事情。（汪小姐有时坐在她旁边写字，有时到某一些病床跟前去，有时又到外面去。）后来那个儿子拿着漱口盅进来了。他把它放在矮柜上，过后又拿起来，把汤倒在一个饭碗里，一面俯下头对病人说："猪肝汤来啰，我里头还冲了两个鸡蛋，你多吃点吧。大夫的话，你该听见了。我这样瘦，哪里还有多的血。你不要跟我为难吧。"

"我吃素……"病人固执地说。

"你吃素！你是在要我的命。你是不是自己不想活，也不要别人活！"那儿子着急地说，苍白的脸变红了，他绝望地抓自己的头发。我想他会哭吧。但是他并没有哭出来。

他父亲一声不响，索性连哼也不哼了。他仍旧站在床前等候他父亲的答话。忽然那个老人痛苦地叹了一口气。"你让我死吧……"老人断断续续地说。

"不！……"儿子吐出这一个字，他立头埋下头，用手帕盖着脸，大声醒起鼻涕来。过后他又走出去了。大约过了十多分钟，他才慢慢地从外面进来，先去洗了手，然后到他父亲的病床跟前，他站在床脚边呆呆地望着病人的脸，他好像不敢走近枕头边去似的。

杨大夫过来了，手里拿着扎耳里的东西。她对那儿子说："我先验验你的血再说。"

那儿子恐惧地向后退了一步，他似乎还想躲闪，但是杨大夫一把捉住他的左耳，就拿针往肉里扎，一面还说："扎耳朵还怕什么！又花不了你多少血！你不肯输血，那么你也得设法拿五千块钱出来买血。"

"五千块，我哪里来的钱啊？"儿子做出要哭的样子说，"一家五口人还要吃饭……"

"那么你自己输血好啦，我给你担保，不会有危险的，"杨大夫已经把血取好了，她带点轻蔑的调子说。

"我每天要到局里办公，又要到医院来。一家人就靠我这点薪水吃饭……"那儿子唠唠叨叨地分辩说。可是杨大夫已经掉转身子走了。他有点失望，扫兴，好像他知道自己没有得着一个人的同情似的。他带着求助的，诉冤的表情向四周看，他的眼光触到第三床的眼光了。

"这个年头，大家都苦，有什么办法，你忍耐点吧，"第三床劝慰道。

"忍耐也要忍耐得下去啊，"他半晌才吐出这一句话。

"现在还是先治他的病再说，"第三床说。

"病自然应该医治。不过他总不肯听大夫的话，这个也不吃，那个也不吃，事事要由他，这怎么治得好病。今天买了一副猪肝，煮好汤给他端来，他又不肯吃。"说到这里，那儿子立刻走到矮柜前面去，看了看碗里盛的汤。他端起碗，俯下头，温和地说："快冷了，你吃点罢。"

"我不想吃，"病人答道。

“大夫说的，你一定要吃。不吃，你的病就治不好。我来喂你罢，”儿子说，他拿起调羹喂他父亲喝汤。

“我不吃啦!”喝了三四口以后，病人忽然伸出手挥动一下，像要推开他儿子的手似的，一面厌烦地说。

“一半都还没有吃到，再吃一点罢，”儿子说。

“不吃啦，不吃啦!”病人接连嚷着。那儿子只好把碗放回矮柜上去。我听见这个中年人叹了一口气，也看见他微微地摆了两下头。并且他还掉转身子向着第三床，绝望地摊着两手叹息说：

“他还是不肯吃。”

“慢慢来吧，”第三床同情地笑了笑，安慰他说。

那儿子拿着脸盆出去了。过一会他再进来时，他用一方花手帕对折成三角形从鼻梁系到后脑，代替了口罩，盖住了鼻孔和嘴唇。他绞干脸帕在替他父亲揩脸。

第二床似乎睡去了。病室里渐渐地静了下来。第九床和第八床睡得正熟，他们的讲不完的故事也跟着睡去了。第六床老是瞪着眼不出声，不知道他为着什么事一直在生气。第一床躺在床上，头放在靠背上，让一个理发匠给他剪发，他两只腿始终在被单下面高高地突起着。第四床脸上连痛苦的痕迹也看不见了。他在看张小姐先前借给他的一本小说。他早晨已经同我交谈过了。我知道他姓孔，是邮局的一个职员。他害急性盲肠炎，前天上午进院来开刀。说是再迟三四个钟头，他就没有救了。他似乎是一个和善可亲的人。他又告诉我，第七床也是害一样的病，是大前天晚上抬进医院来的，就在那个晚上开的刀。他是听见大夫讲的，那个人来得更迟，算是运气好，没有出毛病。

吃过午饭后第十床和十二床的病人出院了。但是病床没有空到半点钟，就被两个新的病人占据了。睡在十二床的是一个害眼睛的司机，说是在“独汽四营”服务，穿着一身蓝布制服。一个年青的广东人睡第十床，他的病我说不清楚。他好像是在肚脐眼上面偏左的地方生一块东西，说是不痛，又跟肉瘤不同。但那究竟是什么，冯大夫，廖大夫都还不能断定。

第十床年纪不过二十，从他回答大夫的话（有人找了张小姐来做翻译），我知道他已经结过婚并且有一个男孩了。但看他的举止态度，却又像是一个十三四岁的不懂事的孩子。他这个病没有给他带来痛苦，所以他脸上常常露出笑容。他爱吃零食，随身带进来不少糖果，装在一个咖啡罐子里面。给他诊病的大夫一走，他就拿出一把糖果来慢慢吃着。看见他这安闲的态度，人会忘记自己是躺在医院里了。

但是正当他安闲地吃着糖果的时候，就在他的脚下，沈默了一早晨的十一床，忽然大声叫起来：“老张，老郑，小姐！”

现在还是老张当班，可是开过午饭后，人就看不见他的影子了。汪小姐听见叫声，走过来，问道：“哪样?”

“我要灌肠，我过不得啊！”十一床吼着回答。

“好的，我跟大夫讲一声，等一阵给你灌肠，”汪小姐温和地说。

“快啊，快啊！”十一床痛苦地喊道。

“你不要着急，要等大夫来过，他签了字才能灌肠，”汪小姐又说。

“我过不得啊！……”

“你不要喊。大夫没有在，你喊也没有用。起先大夫来了，你又不对大夫讲，”汪小姐带了点抱怨的口气说。

“我过不得啊……”十一床仍旧痛苦地叫着。

“那么你多吃点水嘛，”汪小姐说着，就拿起壶来，把壶嘴送到病人口边，病人骨都骨都地喝了几大口。“好啦，等一阵再吃。多吃点水，心里头也会好过点。”汪小姐说了，便把壶放回到矮柜上去，她转身走了。

她走后不过两三分钟，十一床又用了粗暴的声音叫起来。

“老郑！老张！老郑！老张！”他不停地叫喊。

没有人理他。那个广东青年坐在床沿上，睁大两只眼睛，好奇地望着他。没有人走到他身边去。

“我过不得，做做好事啊！小姐！……”他像一只野兽似地哀叫着。

“十一床，你不要喊！大夫不在，你喊也没有用。等一阵会给你灌肠的，”张小姐在条桌前大声说，她抬起头望了他一眼。

“我过不得，我过不得！”他也许已经听不见张小姐的话了。他也许除了自己的痛苦外，对什么事都不知道，都不关心了。他只是不断地叫吼着。仿佛有一种力量推动着他，他自己是不能不叫喊的。

“张小姐，你喊老张来给他灌肠罢，他叫得多烦人！”第九床忍不住坐起来讲话了。他的腿屈着，两手抱着膝，抬起头向条桌那面望去。

“就来，”汪小姐答道，“老张也不晓得到哪里去啰。Miss 张，你去请张大夫来看看十一床，他今天有点不大对。”

张小姐答应着走出去了。

“我过不得呀！我要灌肠！我出钱，我出四十块钱！”十一床疯狂地叫喊道。他的身子摇动着，我看见床摇幌了一下。

“四十块钱，你给老张，他还看不上眼勒，”第三床感慨地在一边发议论。“他们那种人就只有一对势利眼睛。你有钱叫他做你儿子，他也肯。没有钱，就该受他气。”

“我过不得呀！四十块钱！我有钱！”十一床继续在

叫喊，他的声音里含着多大的怨恨啊！我记起来，那朋友昨天给了他八十元，他用去四十元买糖，还剩下四十。这四十元应该是他唯一的财产了。这“四十块钱”引起了第八床的笑声，可是它却刺着我的心，使我浑身不舒服起来。那张紫色的圆圆脸和那个剪得光光的头老是隐隐约约地在我眼前幌动。

睡在第十床的广东青年受不住跑出去了。第八床几次说话干涉这病人的叫号，都没有用。十一床只顾叫着，他好像是神志不清了。

张小姐从外面匆匆进来，大声说：“不要喊了，老张给你灌肠来了。”

这虽然与我不相干，但是她这句话也给我带来一点安慰。紧张的心稍稍松弛了。这烦人的叫声也应该停止了罢。

果然老张拿了灌肠器进来了。他走到十一床跟前，带笑地说：“来啦，来啦。你何必着急，这种味道不见得好受罢。人家怕灌肠，你倒求之不得。你把身子朝那边转一下……好啦，不要动啰。”

十一床的叫声停止了。我的心也得到了片刻的安静。广东青年拿着一块奶油面包回到他的病床跟前。他看见灌肠的动作，他的好奇心似乎得到满足了。他放下面包，掩着嘴在笑。

“好啦，你忍一下，我给你拿大便盆来，”老张嘱咐道，我知道那瓶里的水已经灌完了。我看见老张把洋磁瓶和橡皮管拿开，又看见老张把大便盆放到铺盖下面去。这些时候，病人没有作声，除了偶尔哼一下。我想，大便出来后，病人的痛苦应该减轻了。

但是半点多钟（大概是半点多钟罢）以后，十一床又带着更大的痛苦叫起来了：

“我过不得呀！我过不得呀！”

这时是老郑当班。胡小姐和刘小姐也来代替李小姐和张小姐了。另外还有一个护士小姐，就是胡小姐那天讲过的袁小姐，身材高高的，相貌也端正，年纪应该过了二十。

老郑提着壶来冲开水的时候，他并不在十一床跟前停留，只是用轻蔑的眼光看了那病人一眼。第九床问他为什么不给十一床冲开水。他粗声回答道：“他吃开水！他快回老家了。”

“奇怪，给他灌了肠，他还在喊过不得，”第九床说。

“火毒攻心了。要是肯花钱，也不至于这样受罪，”老郑说。

“哼，你懂得！那末还要大夫做什么用?”第三床在一边低声表示他的不满。

“小姐呀！我过不得！我要打针！做做好事啊！张大夫！张大夫！……”多么痛苦的喊声！

“现在他倒要打针了，”第八床吃吃地笑道。

“你还要笑，人家是性命交关的事，”第九床抱怨地说。

“我并不想笑，可是我忍不住就笑出来了。你看老广也在笑，”第八床指着那个广东青年说。

“他笑？过几天他就会哭的，”第九床冷笑道。

忽然我耳边响起一个崩塌的声音，我眼前发生一个大的震动。几个人惊惶地叫起来。我起初不知道出了什么事。我居然毫无理由地以为是墙塌了，或屋瓦落下了来。但过后我就明白了。十一床连人带床板和靠背一起跌落到地上，下半身还裹缠着被单，破棉絮盖到他的胸，两只光赤膀子露在外面，左边的一只还带着一段没有解完的绷带。头离开床板放在地上，脸还是圆圆的，结实的，眼睛呆呆地睁着，嘴张开，仍旧不断地发出痛苦的叫喊。他似乎不知道自己的睡处已经换了地方，而且也感觉不到跌落的痛楚了。他伸着左手要去抓第九床的板凳脚。

汪小姐，胡小姐，刘小姐，袁小姐全跑过来。

“你在作死呀！”刘小姐望着他说。“你这样真不要活命了。”

“Miss 刘，你跟他讲没有用。他已经神志不清了。你快去喊老郑他们来，把他抬上去，”汪小姐说。刘小姐匆匆走开了。接着汪小姐又自语道：“怎么张大夫还不来，真急人！”

第九床当时骇得呆呆地站在床上，身子紧紧贴着木壁，头靠着纸窗，他好像害怕那个病人会倒在他的身上似的。现在才慢慢坐下来，对自己说了一句：“好险啊！”

“你怕什么？怕他拉你一路回老家吗？”第八床嘲笑道。

“我不怕，我跟他还隔了两省。你们是同乡，你倒应该送他去，”第九床笑着答道。

病人继续在呻唤，声音粗大，但是人却不能分辨出字音来了。

张大夫匆匆地走进来。“怎么啦？”他边问着，边走到十一床跟前。

“张大夫，你来得正好。他起初吵着要灌肠，给他灌了肠，他还是吵着心里头难过。你看看要不要给他打针？”汪小姐带点宽慰的神气说。

“先把他抬起来罢，老郑到哪里去了？”张大夫皱起眉头说。

“我们来抬，”胡小姐忽然兴奋地提议说。

汪小姐微微摇着头，说：“不行，我们抬不好，还是等老郑来。老郑也怪，上班的时候总喊不到他……”

“我出去总有事情。我只有一个人，又不会分身，这里也喊，那里也喊……”老郑跨进门限，听见汪小姐的话，有点不高兴，不等她说完，便接着抱怨起来。

“快把病人抬上去，不要多讲了，”张大夫厌烦地吩咐道。

“我一个人怎么抬？”老郑板起脸孔说。

“我跟你两个抬罢，”张大夫说着，就弯下身去，老郑不好意思再讲话了。他们两个把病人连床板一起抬回到板凳上去，汪小姐和胡小姐在旁边帮忙照料着。

那个病人被搬回床上以后，他还是含糊地大声叫唤。他的痛苦似乎并没有因此减轻一点。他仍旧像一只垂死的猛兽似地在哀号。

“给他打一针××××，”张大夫带着严肃的表情，低声对汪小姐说，他说出一个外国字，那一定是药名，但我弄不清楚是什么药。……

针打过了。病人的情形也没有见好。张大夫在旁边守了一阵，便走了。

他走后，众人对十一床的兴趣似乎淡了许多。那种单调的，痛苦的呻唤大家也渐渐地习惯了。我也是这样，我起初还盼望着他（十一床）什么时候会把嘴闭上。后来我却有了一种奇怪的想法：要是他的声音突然停止，我们会觉得这个病室太冷静了。

其实这个病室不会太冷静的。人不能就让十一床一个人那样叫下去。因此第二床不久也有了呻唤的机会。

杨大夫又来了。还是她那满不在乎的神气，迈着大步，身子一摇一幌的。

“Miss 汪，给第二床预备四瓶盐水针，”我听见她对护士长说。

“老头子也要吃盐水针了！”第八床觉得有趣地说。

杨大夫在第二床旁边停留片刻，就走到我的床前来。

“你这样睡着觉得闷罢，”她说着，大方地一笑，露出一排雪白的牙齿。她一对大眼里射出来无限的善意。

“还好，”我答道，她的笑使我感到愉快，我又问一句：“我是不是下星期三开刀？”

“你又来了。你真性急，上午还跟你说过要到下星期才能决定！你最好还是不要想那些事情，”她温和地笑道，接着忽然问我一句：“你带什么书来没有？”

“没有，我忘记了。”我说的是真话，我想带几本小说来，临时却忘记在一位父执的家里，那个人现在应该因公到某处去了，他那位出身高贵的太太新近从上海来，和我只见过几次面，她不会来看我。

“你要不要看书？我可以给你找几本来，”她微笑地说，我只觉得她两个圆圆的黑眼珠在我脸上滚动。

“那么谢谢你哪天给我带几本来罢，”我感谢地说。

“我给你挑几本看起来不费脑筋的。你现在不能太用功啊，”她又笑了笑。我看看她，我觉得她整个脸发亮了。

就在这时她忽然惊觉地掉头朝第二床看了一眼。盐水针已经预备好了，架子放在第二床的脚下，汪小姐正把盐水倒在架上那个大瓶里面。杨大夫便撇开我到第二床那边去了。

针插进了病人的两只大腿。第八床朝第三床呶一呶嘴说：“老苏，你等着看这老头子怎样哼法。”

老人好像睡熟了似的并没有哼一声，也不曾动一下。瓶里盐水走得虽然慢，但我也看得出它逐渐在减少。

“这个老头子本领倒不小，他哼都不哼一声！”第三床惊奇地说。

“嗯，倒也奇怪。再等一阵罢，看他受得住多久，”第八床摆动着他那猴子脸说。

并不要等多久。再过两分钟光景，老人叫出了第一声。

“我受不住啦！……再打不得啦！……做做好事啦！”他拖长声音叫着。也许是由于他的高龄罢，他的声音不像是痛苦的呼号，倒像是一个粗人笨拙地哼着的歌。

“怎样，我说过不会等多久罢，”第八床低声笑起来；“这边一个这样叫，那边一个那样喊，好像是事先约好的一样。”

老人并不动一下，只是不停地哼着："我受不住啦！……打不得啦！……就要打死啦！……我要死啦……我就要死啦……"

杨大夫站在条桌旁边，俯下头在写字。她听见老人的叫声，也忍不住微微笑了。她放下笔，走回到第二床跟前。

"你不打才要死勒！"她说，接着又问："老先生，以后你儿子给你送汤来，你吃不吃？"

"我要吃啦！"

"猪肝吃不吃？稀饭吃不吃？鸡蛋吃不吃？"她又问。

"我吃，我吃！"

"你不吃素吗？"

"我不吃素啦！不要再打针啦！……我要死啦！……"

"就只有这一瓶了，"她说着便把矮柜上那瓶盐水倒进大瓶里去。过后她立在床前继续说："老先生，你以后要多吃东西啊。我要你吃什么，你就得吃什么。你身体太坏，不多吃营养的东西，烂掉的肉便长不起来。你懂不懂我的话？"

"我懂！"

"你懂，那么你儿子给你煮的猪肝汤为什么不吃？"杨大夫刚刚揭开漱口盅的盖子看过了。

“我要吃，我要吃，”病人连忙答道。

“Miss 胡！Miss 胡！”杨大夫唤道。胡小姐马上走了过来。杨大夫把漱口盅递给她：“请你喊老郑拿去热一下。等一阵，你看着老先生吃完它。一定要他吃。”

胡小姐拿着漱口盅出去了。她回到病室里来时，杨大夫已经走了。后来大瓶里的盐水快流尽了，胡小姐便过来把老人腿上的两根针拔去，又把架子搬开。老人立刻不作声了。

“好了，这一边不响了，”我的右邻第四床低声自语道。经他这一说，我也觉得病室里比较静了一些。

可是第十一床就始终没有停止过呻唤。不过他叫得更单调，更痛苦了。他已经念不出一个准确的字音，并且人在那声音里找不出一点近似人类语言的地方。他的叫声现在更像是野兽的哀号。他哀叫着，哀叫着，不管有没有人同情他，有没有人来照料他。

他的手还在动，身子也还在动，床板时时向左右摇幌。每次动得较厉害时，要是向左，就会听见第九床和第十床的惊叫声；要是向右，就会听见第十二床的叫喊。

“胡小姐，汪小姐，刘小姐，十一床又要跌下来了！”第九床和第八床这样接连叫了好几次。

“你喊我，我又有什么办法？”有一次刘小姐过来生气地撅起嘴说。“你害怕，你找根绳子来绑住他吧。”

“对，绑住他倒是个好办法，”第九床笑着说。他看见老郑拿着第二床的漱口盅进来了，便大声唤道：“老郑，快来！”

“什么事？”老郑从第二床床前转过身子粗声问道。

“十一床又要跌下来啰，你来绑住他！”第九床说。

“好，我就来，”老郑笑道。他又向条桌那面说：“胡小姐，猪肝汤来啦。”

“我就来，你放在那里罢。”胡小姐答道。

老郑走到十一床跟前，他先看看病人的脸，用一种毫不动感情的声音说：“快啦，我看他过不到今天晚上。”

“你又不是大夫，你知道！”第八床说着，便走近老郑的身边，他也看了看那病人的面孔。

“我不晓得看过多少了。你不信等着看罢，”老郑得意地说。这时病人刚巧把身子向他那面一侧，床板幌了一幌，他连忙按住病人一只膀子，就是那只左膀。他就用留在那上面的绷带把它绑在床板上，不，应该说是板凳脚上。

“这样恐怕还不行，最好那边也绑一下，”第八床提议道。老郑真的再找了一根绷带来把右边膀子也缚住了。

“现在不会再动了，”老郑试了试，过后说，他脸上露出一点满足的表情。

我从第十一床又把眼光移到第二床那边去。

胡小姐正站在床前用调羹舀着汤送到那个老人的口里去。老人说了好几次："我不吃啦!"她不依从他的话，却逼着他吞下去。

"再吃点，再吃点！你不吃，杨大夫又要来打针了。"胡小姐说，她的话对老人倒有极大的效力。最后我看见胡小姐满意地放下调羹和漱口盅来。

"老头子也真滑稽：怕打针，连吃长素的人也开荤了，"第三床带笑批评道。

"唉，真是不把人当人。他又不是犯人，就不该绑他，"这是第六床的声音。我转过头去看。他正微微摇着头，瞪着眼睛，红着脸在那里生气。"都是爹娘生的呀!"

我同意他这话。我也了解他的愤怒。他一定在想着他自己。

"他没有家里人，没有朋友在此地。他们可以随便对付他，"第六床看见我对他点头表示同意，他便接着往下说。

"他没有钱，他们看不起他，连老郑也要欺负他！真是天晓得!"第六床又说，他的脸一直在发红。眼睛里射出来憎恶的光。

"这样不行。对病人应该平等待遇，况且医院又不是旅馆客栈，"我附和地说。

"是啊。就是旅馆客栈，茶房也不会这样招待客人的，”第六床接嘴说。“你看他好痛苦，心里难过啊！他们就不管他，让他喊下去。他喊了大半天啰。给他吃点止痛药，睡药也好。”

第六床的声音不高，除了我外，别人不会听清楚。自然也不会有人考虑他这个意见。整个病室里的人就没有一个出来为那个垂死的患病者说一句话。大家让他哀叫着，挣扎着。

我觉得就在这时候，十一床的脸色似乎也并没有什么改变。望过去，他始终是一个非常强壮的人。并且他还表现出来他有着大的气力。他挣扎到傍晚（其实天完全不曾黑，只是空气渐渐凉起来了），他的左手终于挣脱出来，肘拐下面现出一条伤痕，血在流着。然而他还是昏迷地挥动他那只手。他的叫声并没有比先前的更痛苦，只是有些沙哑了。

“他这样老是喊下去，今晚上我们大家都睡不成觉了，”第八床忽然耽心地自语道。

“不要紧，他们都说他过不到今晚上。你听他嗓子已经哑了，”第九床接口说。

“他身体结实得很。看他的样子，他再喊三天三夜也不在乎，”第八床微笑地说。

“他不在乎，我们还在乎吗？”第九床笑答道。

这两人的谈话使我极不舒服。我想到外面去走一下。我穿好衣服走出病室去。

暮色来了。但这只是一个开始，淡得很。空气很柔和。我闻到一股西药的气味，中间夹杂着一点花香。我顺着石板路散步，我在花旁边走来走去。这露天里的一切使我心胸舒畅。

这院子里还有四个小房间。两间位置在通外面那道门的旁边，两间靠近通入后院空地的门。旧式的糊纸的小方格窗用竹棍撑起来，四间屋子的窗全撑着。窗台不高，房门开着，我可以看见每间屋子里的陈设。一张床，一张条桌，一把逍遥椅，一把藤椅。在一间屋里一个穿漂亮西装的青年安闲地靠在逍遥椅上。在另一间屋里一个衣服华丽的中年妇人开了电灯在对镜梳头，一个衣服整洁的老妈子站在旁边伺候她。不用问我便知道这是头等病房了。这里有的是舒适和优待，只是因了住在这些病房里的人能够比我们多付两倍的钱。

那个服装整齐的青年从房里走出来了。他站在窗前低矮的石阶上，两只手放在背后，态度闲适地望着院里一丛芍药。那是一副清秀的面貌，只是鼻孔里塞了两团药棉。

我仍旧慢步走着。我正在看他，忽然他也抬起眼来看我，他露出惊奇的样子。他不像在看一个同类的人，倒像在看一个奇怪的生物。

我本来打算招呼他，同他讲话。他的这表情阻止了我。他这种看法使我有点生气。我不愿意再蒙受他那样的眼光。并且我心里一不高兴，我就感到疲倦了。我正想回到病室里去。我看见杨大夫从后院转出来。她这次没有穿那件白色的工作衣了。她穿着一件绛色旗袍，外面罩上一件灯笼袖的黑色细毛线衫。脸上也稍微擦了一点粉。

“杨大夫，你进城去吗？”我带笑问道。

“是的，有点事情。”

“去赴宴会罢？”我笑着问。

“去朋友家吃喜酒。恐怕已经晏了，”她笑着回答。“这本书是拿给你的，”她把腋下的一本书递给我，那里除了书外她还挟了一个手提包。

这是一部《唐诗三百首》。她拿这种书给我看，倒是我想不到的。

“我想这本书对你倒有点好处。我起先就说过你不宜看太费脑筋的书。你读读诗，可以使你的心纯净一点。心境对治病是很重要的，”她温和地解释道。她两只眼睛恳切地望着我。

“我明白。这些诗我也读过的。杨大夫，谢谢你啊！”我感激地说。

我觉得她的眼睛也在微笑了。她又关心地说：“你出来好久了？不要多走啊，早点进去罢。”

“杨大夫，我问你一句话，将来我开刀的时候，你会不会在场？”我忽然想起要问她这句话，就顺口说了出来。

她笑了：“你问得奇怪。不过我也说不定。只要我没有别的事，我一定在场的！”

“我是这样想：只要你在场，我一定不害怕，”我率直地答道。

“那末我一定在场，”她似乎感动地说。“其实你也不用害怕。我们刚才又收了一个跟你一样的病人，就住在这三十二床，”（她指着青年站的地方隔壁那间病房，门前挂着一方小木牌，写着阿刺伯字 32，）“他以前来看过的。他身体现在养好了。下礼拜就开刀。”

我朝那房门看了一眼，但什么也看不见。我听见杨大夫在我耳边说：“你现在进去罢。”我收回眼光。她往外面走了。她仍旧迈着大步——黄皮鞋，短袜，光赤的腿。不过她身子摇幌得并不厉害了。

我没有立刻走回病房。我站在石板路上，目送着她的背影。我把眼睛都看花了。

夜已经来了。它像一张网，向着我撒下来。

我回到病室。一股臭气扑向我的鼻端。我禁不住发呕了。

条桌前电灯十分明亮。左边的一角没有说话的声音，电灯也已关上，似乎那十二个病人全睡着了。右边一角的电灯照常燃着，有人在呻吟，有人在笑，有人在大声讲话。我走过十一床旁边。我看了那病人一眼。还是那个结实的，滚圆的头，肉还是一样多。脸色却变黑了。眼睛睁得不大，但是它们睁着。嘴半张开，喘气似地在叫喊。左膀露在外面，肘拐以下涂着一片血迹。

电灯差不多就悬在他头上。他的眼睛并不畏避灯光。两只大眼角都在发亮。我看出来那是泪珠。这两颗小小的泪珠使我打了一个寒噤。

我回到病床，躺下来，把《唐诗》放在枕头下，我感到一阵轻松了。

“我们这一边晚上吵得很，天天都是这样。吵得别人睡不好觉。对面，一到晚上连说话的声音也难得听见，”第六床稍稍偏着头对我说。这时我刚刚睡下去。我想，他大概是闷极了，需要说几句话。找到一个听话的人当然就不肯放松了。其实我现在只想休息。但为了敷衍这个人，我只好唯唯地答应两声。

“他们对别人一点同情也没有。人家快死了，他们还要笑！”第六床接着愤慨地说，他的脸孔板得更厉害。眼睛眉毛更朝上竖，更像戏子在台上的脸面了。我忽然想起我从没有看见这个人笑过，无怪乎，别人的笑会引起他的反感。

我还是唯唯应着。后来我倦得连嘴也懒得动了，我便索性闭上眼睛睡觉。

我好像睡去了一会，可是十一床的呻唤就一直在我耳边响着，时而近，时而远，我忘了我是在医院里面。我觉得我还是住在朋友的家里，或者亲戚的家里。我并没有生病，我只是走完了长的旅程，现在疲倦地睡了。我不管明天有什么事在等着我，我只是在享受这一刻的轻快与休息。

大夫们查病房时，我被惊醒了。杨大夫不在，冯大夫也不在，廖大夫和张大夫倒是来了的。另外还有两个大夫和一个女大夫。我以为他们会在十一床旁边多停留一些时候，或者商量出一个办法减轻那病人的痛苦。但他们没有这样。他们只在经过那里时顺便地投了一瞥淡漠的眼光。不过张大夫一个人还回头多看了一眼。

我想问张大夫：“为什么不再给他打针呢？”但是我没有问。他们在我的床前停了两三分钟。一个年纪较大的大夫同张大夫短短地问答了两句，他们便走了。我却唤着：“张大夫！”那个年青的大夫走回来。他和善地问我：“什么事？”

“张大夫，你怎么不给十一床想个办法？他叫得多可怜！”我终于说了。

这个和善的大夫摇摇头，淡淡地答道：“他就要完结了。再想办法也是多余的。”他声音里有的是疲倦，却找不出痛苦与怜悯。

我没有话说了。他也没有工夫再和我讲话了。我把眼光射到那个可怜的病人身上去。他还是像先前那样地躺着，呻唤着。只是他声音低了些，身子也不怎么幌动了。显然他挣扎的力量已经在减弱，他的生命也逐渐在消失了。

“快啦罢，”第八床忽然伸起头颈看了那病人一眼，带笑地自语道。

“你不用着急。你等他一道走吗?”第九床眯着眼睛开玩笑地说。

“你倒不要等。他一伸手就会把你抓去的，你怕不怕?”第八床说。

“他就要回老家了，他哪里还会动?”第九床昂起头得意地说。

但是那个病人真的伸起左手来了。第八床是看见他的手动才那样说的。他的手伸着，伸着，显然它想抓住什么东西。它一下就抓住第九床的被单了，它用力一拉。被单就往下落。他的床摇动了一下。

第九床本来屈着腿坐在床上，被单一动，他明白那情形了。他第一眼就看见那只带血的手。他惊叫一声，立刻赤着脚跳下床来。

“你不怕嘛，怎么又叫啦?”第八床冷笑道。

第九床不理他，却大声叫：“林小姐，林小姐!”

上班不久的林小姐走过来问什么事。

“你看，他抓我的铺盖。你还是把他的手绑住罢，”第九床说。

林小姐看了看十一床，摸了摸他的前额，又验了他的脉搏。她把他的被单理好，又把他左膀放进被里去。然后她对第九床说：“不要紧，其实用不着绑了。”她走回条桌前去了。

她说得不错。这以后十一床就没有再动了，他的叫声愈来愈低，后来变成轻微的喘气，最后连喘息声也没有了。

“林小姐！林小姐！”第九床又叫起来。

“什么事？洪文全，你又在叫！”林小姐走过来，问道。

“十一床归天了，”第九床眯起眼睛笑道。

林小姐俯下头去看了一眼，又摸了摸病人的胸口。她说：“还没有，不要你替他着急。”

又过十多分钟，第九床又叫起来：“林小姐，请你来看看，十一床这次真的回老家了。”

林小姐又过来，她又摸了一次病人的胸口，然后望着第九床埋怨道：“不晓得哪里来的这样高兴！就直是吵！又不是什么喜庆事情！”

“林小姐，你应该问问他，有没有遗嘱嘛？”第八床插进来开玩笑道。

“呸！你们嘴里就讲不出一句好话，”林小姐说着，她也忍不住笑了。但是她马上又收起笑容责备他们：“你们怎么这样爱管闲事？休息半点钟不讲话，好不好?”

“我们不讲话，十一床真的回老家了，哪个又晓得!林小姐，你不要给他送终吗?”第九床顽皮地说。

“不要乱讲啊，洪文全，你在第四病室是老资格，应该做个榜样啊!”林小姐正经地说，不过她的声音还是温和的。

“是啊，我正是在做榜样啊!”第九床嬉皮笑脸地得意说。

林小姐没有理他，只皱皱眉头走开了。第九床和第八床两人对望着，吃吃地在笑。我还听见别的几个病人的笑声，但他们立刻便止住了。只有那两个人继续笑着，低声讲着话。

电灯光很亮。十一床静静地躺在床单上，现在他完全不动了。他的后脑靠着床板的边缘，他的头差不多倒垂着，枕头不知落到什么地方去了。不洁的被单盖着他的身子。他没有一点声音。他一直叫了这么些钟点，现在应该休息了。我没有想到死字。

可是第九床又在叫了：“林小姐，真死了。你不信，你来看看。”

林小姐咕噜着走了过来。这次她不做声了。我看见她的手指在他两只眼睛上动了一下。我看不清楚她是在揩掉他的眼泪，还是使他阖上眼睛。

“是罢，我没有说假话罢，”第九床屈着腿坐在被单上得意地说。

林小姐仍旧不出声。她走到条桌前站了片刻，便往门外走去。但她马上又折回来。她在橱柜旁拿了一把伞，再到外面去。我知道外面下着小雨了。

不久老郑跟着林小姐进来了。他的头发上积着雨点在电灯光下发亮。

“老郑，你来送十一床回老家吗？”第九床大声笑问道。

“有什么办法！吃了这行饭，还敢说不做吗？”老郑不高兴地答道。他走到十一床跟前，把被单拉开，往地下一丢，又把这光着身子的死人拉动一下，死者的头睡回到床单上面了。他不知道从哪里找出几张钞票，数了一下，就放到矮柜上去。我听见他大声说：“四十块钱！哪个要他这一点钱！”他把床单从四面拉拢，包过来，一下子就把死者裹得紧紧的。他打好结，又抽去草垫，让这人形的包裹放在光光的木板上。

“林小姐，单子写好吗？”老郑掉转头问道。

“你来拿罢，”林小姐答道，便拿起一张纸条来。

老郑接过纸条，涂好浆糊，拿回来。他高高地举起手，朝着死人的胸膛（我想那地方应该是胸膛）用力打一巴掌下去。我听见“帕”的一声，纸条贴好了。老郑还恨恨地瞪了一眼，才离开死者往外面去了。

“老郑也太过份，拿不到钱，人死了还要挨他一巴掌，”第三床在角落里表示不满地说。

“这样死法，一点牵挂也没有，”第八床坐在床沿上两只脚打秋千似地动着，他不住地点着他的猴子脸，那只白蝴蝶还站在他的发上，我真想把它捉下来。

没有人答话。外面雨下大了。房里也听得见雨声，就像无数根细针落到屋瓦上似的。一阵愁思侵袭到我心上来。我也说不出这是什么缘故。我忽然觉得寂寞。我忽然觉得这病房太空阔，电灯太亮，人声太稀。我只想哭。

我看左手边第六床，那个姓朱的板着脸竖起眉毛不讲话；我看右手边第四床，那个姓孔的闭着眼睛睡了，他脸色苍白得多可怕。第三床把半个身子倚在靠背上，带着沉思的样子。第二床发出急促的鼾声，声音虽然不大，但显然他在梦中也没有得到安适。第七床微微咳了一声嗽，他应该是醒着的，可是他还是静静地仰卧着，似乎连翻身的念头也没有！

还有在那边，第十床那个广东青年盘着腿坐在盖被上，他带着傻气呆呆地望着他旁边那个人形的包裹。刚才第九床还跟他开过玩笑，做着手势，一面问他：“老广，你怕不怕？”他直率地回答：“他死了我就不怕他了。”他说的应该是真话。当十一床正在同死挣扎，叫着，动着的时候，那个垂死的病人曾经使他害怕过。我听见他发出几次惊恐的尖叫声。在死者右手边，十二床用一只手蒙着左眼，侧着身子睡了。这个年青的司机，不见得能够安静地睡眠罢。今天下午我听见那个身材矮小满脸须根的踢鼻头的大夫对他说，他的左眼十之八九得挖去，他那只眼睛在三天里面就完全失掉了视觉。直到现在，他还时常感到剧烈的头痛。

雨落得更大了。雨声搔着我的心。这短短的十几分钟的时间在我好像是难挨的漫长的几月。屋檐水流着，它开始在捣我的心。

“林小姐，林小姐，又漏雨啦!”第三床忽然大声喊道。他的声音把这凄凉的空气搅乱了。

“不要急，给你搬开就是啦，”林小姐答道，就走过来。

“偏偏今晚上事情多，看把林小姐累坏了，”第九床在旁边开玩笑地说。

“洪文全，你还要笑勒，你也不帮忙，”林小姐温和地抱怨说。

“那末我来帮忙罢，”第九床说着就跳下床来。他跟着林小姐走到第三床跟前。

“林小姐，枕头都打湿了，”第三床诉苦般地说。他蹲在盖被上面，带着一种可笑的样子。

“给你换一个就是啦，”林小姐带笑说：“我们把床给你搬一下。”

“老苏，你可以下来吗?”第九床问道。

“我看还是不下来罢。我害怕动得厉害了会灌脓，”第三床嗫嚅地说。

“那末你索性坐下来，我们好抬些，”林小姐说。

第八床摆动着他那猴子脸，一跳一蹦地走了过来。“我也出点力，”他笑着说。

三个人把那床铺移动了一尺多宽的地位，使它跟粉墙，木壁都离开了。我听见雨点滴着土地的声音。

“谢谢你们，”林小姐含笑对这两个帮忙的人感谢道。她照料第三床睡下，又给他盖好被。“现在好啦罢，”她带了点宽慰的口气说。

老郑打着伞进来了。还有两个工友包着头，穿着围裙似的衣服，抬着一个担架跟在后面。老郑喊着：“林小姐。”林小姐立刻转过身来。“给他们抬走罢?”老郑接着说。

那两个工发放下担架，把人形的包裹抬到担架上去，然后抬着它走了。工友的头上，身上还湿着，现在又得淋着雨到那个黑暗寂寞的“太平房”去。老郑也抱了草垫，棉絮出去了。明亮的灯光寂寞地照着一张空床。没有一点东西使人想到那上面曾经睡过一个紫色脸膛的人。

“老洪，你晓得林小姐叫什么名字?”第八床忽然问第九床道。

“我晓得她叫什么华，”第九床答道。

“什么华，你就讲不出来了，”第八床得意地说，“她叫林惜华，爱惜的惜，中华的华。”

“你怎么晓得？”第九床不相信地说。

“她在单子上写好的：第十一床病人某某某于六月三日午后十时十二分逝世——值班护士林惜华，”第八床笑道。

第九床想了想，正经地问一句：“现在你还敢不敢到毛房去？”

“敢是敢的，不过想到太平房，心里总有点那个，”第八床答道。

“我就不敢。我一定会想到十一床先前伸过手抓我铺盖的样子，”第九床坦白地说。

“陆同志，陆同志！”第六床忽然在唤我。我掉过头向着他。

“他们会不会安葬他？”他关心地问道。

“葬总是要葬的，不会永远停在太平房里面，”我答道。

“他家里没人来罢？”

“我不知道。”

“他在太平房里面停几天才安葬？”

“我不知道。”

“一个人这样死法太值不得，”他叹息般地说。

“其实死了也就无所谓了。横竖是要死的，”我赌气地说。我心里有点不痛快。我想：你为什么老是拿这种我不能回答，不愿想起的问题来问我。

“不过死也要死在家乡，死在自家屋里头才好啊，”他痛苦地说，眼泪水从他眼角流了下来。

“你怕什么，你的病很快就会好的。你不要难过，还是早点睡罢，”我看见他的眼泪，我的心又软了，我温和地劝慰他说。

“我睡不着。我想起我娘，我懊悔不该出来……”他呜咽地说。

# 第四章　六月四日（星期日）

今天是星期日。到病室来的大夫比往天少了一些。上午查病房时也只有三个大夫，并且匆匆走过病床，不问什么话就去了。我们这一角十一张病床（今天只有十一个病人）上没有一个严重的病人。第二床当然不算是重病患者。应该挖眼睛的人今天也坐起来讲笑话了。他不到半点钟的工夫就和第九床，第八床成了熟人，又和第三床，第六床谈过话。他说他姓冯，是第六床的同乡。又说他觉得左眼今天稍微好一点，头也不痛了，他盼望可以保住那只眼睛。

第二床似乎睡得很好，现在听不见他那急促的鼾声了。他儿子来的时候，这里正在开午饭。老人已经醒了。他要了一碗稀饭，放在矮柜上面，还没有吃。儿子拿着漱口盅进来。他放下漱口盅时，我听见他对病人说："我今天给你买了半只鸡，炖好汤，你趁热吃点吧。"

"我不想吃，"老人答道，他把头稍微抬起一点，马上又睡下去了。

“你不吃，杨大夫又要来给你打针啊!”第三床插嘴说。

“大夫说，你不开荤，疮就收不了口。你还是吃点吧，”儿子顺着第三床的口气温和地劝道。

老人停了片刻，又把头抬起一下，然后说：“好，我吃!”

儿子把漱口盅拿起来预备喂他。他摇摇头说：“我自己起来。”

“你就睡着好啦，我来喂你，”儿子说。

“我要起来，”老人固执地说。他身子本来侧着，这时便转动了一下，爬在床上，然后用两手按着床单慢慢地撑起来，先是跪着，过后盘着腿坐，——这一切动作他做得极慢，而且他的头，他的手，他的身子，他的腿就一直在颤抖着。他的儿子好几次伸出手去给他帮忙（漱口盅已经放回到矮柜上面了），但是手刚挨到他身上，立刻又缩回去了。

这儿子也许是个有洁癖的人，我常常看见他在大夫，看护们用的脸盆里洗手，还用搭在脸盆架上的毛巾揩干（我每天大便回来也在那里洗过手的）。他每次挨近父亲的身体，总要现露一种厌恶或惧怕的表情，这大约是他自己不能制止的，也许是他自己不知道的，因为他缩回手后还是要把手伸过去，虽然他做出厌恶的样子，却仍然常常去照料他父亲。可是他父亲显得很倔强，很固执，不愿受别人的照顾，不管身体怎样病弱，事事总要靠着自己。

老人要儿子把漱口盅给他，他不要用调羹，两手捧着漱口盅，放在嘴边，慢慢喝着。我不知道他喝了多少。他的手，他的脸都抖得很厉害。他的儿子立在旁边，望着他，手一伸一缩，老是做出要帮忙又不要帮忙的样子。这情形叫人看着很不舒服。我把眼睛掉开了。

第六床在和两个朋友谈话，一个穿军服，阶级是上尉，年纪三十以内，另一个穿藏青色中山服，年纪稍大一点。

“……你不要讲我跌伤的话。我自家养好伤会写信回去。医官讲我过两礼拜就可以好……我下半年定规要请假回去一趟……”第六床说，他始终忘不了两礼拜治好的话，不过这次他倒是心平气和地说着的。他的眼光射在那只吊着的膀子上，他接着说：“现在这只手绑好了。这两天都不觉得难过。前几天真受不住。天晓得！”他没有发牢骚，这倒是我料不到的。

“那末你可以放心养病了，”穿中山服的人微笑说。

这时我又把头掉向右面，因为我听见了杨大夫的声音。

“老先生，你怎么又坐起来啦！”她带着不满的调子大声说。

“他在吃鸡汤，”他儿子立刻替他解释道。

“吃点鸡汤也犯不着坐起来嘛！老实说这点养料也不够他这样消耗。我连换药也不肯叫他坐起来，”她对他儿子说。

“我也劝他不要坐起来，他不肯听，”他儿子陪笑道，过后又加一句：“请大夫跟他说，他倒听大夫的话。”

“他不听，你也不该依他，”这句话还是对他儿子说的，接着她就改变口气，像警告小孩似地对老人说：“老先生，你听见没有？你下回再要坐起来，我就要给你多打几瓶盐水啊。”

“我不坐啦，”老人害怕地说，他把漱口盅递给他儿子，开始做起躺下的动作来。

“这就好。以后也要这样啊。我马上就来给你换药，”杨大夫把声音放温和了，她脸上现了笑意，像开花似地，整个脸上都有了笑的光辉。她一对大眼睛显得又黑又亮。我觉得她这时候非常美。我的眼光一直跟随着她。我以为她会到我这里来。可是她却朝着反对的方向走了。我知道在对面那个角里，她有着更多的病人。在我们这一面，她的病人就只有我和第二床两个。我们是属于外科的。外科的病人多，所以实习大夫也不只一个，眼科、骨科和耳喉鼻科每科就只有一个实习大夫。不过实习大夫并不限定在某一科服务，他们应当轮流在每一科里实习。因此他们一个月换一次班，换一种科目。这是我从老资格第九床和新来的第十二床二人的谈话中知道的一些事。

（“一个月换一次班，”这句话并没有给我带来不快。我相信我不会在医院里住到杨大夫换班的时候，我不会住那么久的。）

杨大夫不久就来给第二床换药。同昨天一样，她不让病人坐起来，不过她的工作似乎进行得快一些。换好药，她在洗脸架前洗了手，又回到第二床跟前，看看病人是不是静静地睡着。

（在换药的时候，她问过病人好些话，大半都是她已经问过了的，譬如其中的一句：“你在外面玩过没有？”她第一次问他时，经过几番解说，他才明白这个“玩”字的意思。现在他一听就可以回答了：“我吃长素啊。”他儿子还怕她不懂他的意思，跟着添一句解释：“他是吃长素的，”这回答使我发笑了。我看见杨大夫的脸上也露出一个有趣的笑容：她想忍住笑，却没有能全忍住。）

“杨大夫，”我唤了一声。她立刻走过来。

“昨天吃喜酒热闹吗？我希望你到得不算迟，”我微笑地说。

“我坐车去的。还好，没有安席。这也是不得已的应酬，推不掉，只好去一趟，其实这里事情忙，我也没有心思进城去，”她温和地说，她不曾笑，但脸上罩着一种与笑相近的表情，她对我说话不像大夫对病人，倒像是朋友对朋友，所以我敢随便地同她讲话。

“今天是礼拜，你可以休息吧？”

“可是礼拜天病人还是要照常换药啊。病这个东西，你不把它制服，它一天也不会休息的，不管是不是礼拜天。”她说着，自己也笑了，接着又加添一句：“所以我们做大夫的人是不该有礼拜天的。”她不等我接嘴，自己又说：“昨天拿给你的书读过吗？”

“读过了，”我答道，这是假话。一直到现在我连翻也没有翻过。

“你喜欢它吗？”她两眼发光地问。

“我喜欢，”这句话倒并不全是假的。我小时候，哥哥教过我读唐诗三百首，有十多首我到现在还背得出，我相当喜欢它们。

“那就好。我也喜欢读诗。我觉得诗可以使人变得善良，变得纯洁。我闷的时候，我总读诗。其实我也并不怎样懂诗。这就跟我喜欢听西洋音乐一样。我不懂，我只觉得它是这样，”她这些话并不是一口气说出来的。她有时似乎想用一两句更适切的话语来表达她的心意，便停顿一下，但一时又找不到它，她只好随便用些她想到的字句匆忙地把谈话结束。她最后说：“你看，我这做大夫的跟病人讲这种话，他们听见，又会笑我发神经了。”她大方地一转身就走了。她不给我讲话的机会。可是她的话却使我思索了好一会，她说得这么亲切，这么真实。我不能不感激她。我的眼光一直跟随着她，并且把她送出门去。

“这位女大夫脾气真好，”第四床忽然说了一句，这个姓孔的病人今天更好些了，脸和嘴唇都有了血色，眼睛也有了光，只是胡须长了些，看起来是有了生气了。

“是罢，”我心不在焉地答了一句，我朝他看了一眼。

“你以前跟她熟罢，”他又说。

“不，我进医院来才看见她的，”我答道。

“那更难得啊，”他赞叹般地说。

我敷衍地应了一声，我把脸掉到左面去。

第六床还在同那两个朋友谈话。

“……我两天没有解大便，他们也不来灌肠，……”第六床又在抱怨了。他刚才还说过几句类似满意的话。不知道怎样，他的朋友们又引出他的牢骚来了。但是奇怪的是，今天天刚亮时看护小姐来问他大便次数，他为什么不向她要求灌肠呢？

“那么你发不发热？”上尉问道。

“一百零两度，怎么不发热！”第六床答道。

“医官怎么讲？”上尉又问。

“他叫我多吃开水，我嘴巴淡，不想吃。他看都不来看我，真是天晓得。”他皱缩着两颊，做了一个烦恼的样子。

其实林大夫昨天今天都来看过。还有黄大夫也到他床前问过：“好不好？”他总是简单地回答：“好。”我都听见的。

“医官真没道理！想不到有名的医院也是这样。还是换个医院罢，”上尉说。

“我也想换地方。××哥，请你给我打听还有哪个好点的医院，”第六床接着说。

“我看还是不要换罢。换个医院，你的手又要从头接过，更费时间了，”中山装迟疑地说。

“只要医官好，我情愿从头接过，”第六床固执地说。他挣红了脸，好像在跟谁赌气似的。

上尉同中山装彼此对望了一眼，我看见他们用眼光和脸色在谈话。过后中山装说：“好，我去给你打听。”

第六床不讲话了。

这两个朋友一直到开午饭的时候，才离开他。他们临走时，上尉还放了一卷钞票在他枕边。那个年青的军人害羞地红了脸，他低声说了一两句话。

“你拿去！你拿去！”第六床右手拿起钞票，向着他伸出去。

“我们走啦，我们走啦！”上尉和善地笑着，边说边走。中山装跟在他后面。

第六床只好把手缩回。他望着他们出去了，然后收回眼光，数了手里的钞票，把它们塞在枕头底下。他默默地在想着什么。过了几分钟，他把眼光射到我脸上来，他看见我在看他，便对我说："他们总要送钱来。"

"是啊，这也是朋友的好意，"我应酬地答了一句。

"我这次全靠他们，"他说，连连用手去揩眼睛。

我没有再说话，我有点妒忌他。我想着我一些在远方的朋友。我在这里只是孤另另的一个人，一个年青人。

老许端着菜来了。他那瘦而不长，却点缀了几颗麻子的脸上堆着笑，今天笑得有点不自然。白布围裙黑黑地闪光，上面积的油垢更多了。一只苍蝇钉在他胸前。他把菜先送给第九床和第八床。他们是他经常的主顾，他不会忘记他们的。我叫的一份猪肝汤他也送来了。我看见他那根黑黑的大拇指在菜碗口上留下的纹印，几乎要打起冷噤来。但是别人都若无其事地在吃着，我也不好意思挑剔。我把心一横，居然连猪肝、连菠菜、连汤全吃下去了。我的肚子也实在是饿了。在这里除了稀饭和鸡蛋（鸡蛋我不能多吃）外，我还有什么东西可吃呢？

收钱的时候，老许望着我，低声说："陆先生（他倒容易记住别人的姓！），你晓得不晓得，这两天湖南很吃紧？"我昨天上午同他谈过一番闲话，他跟我一下子就变得很熟习了。

“我报也没有看，我怎么晓得？你听见哪个说的？”我惊讶地问道。

“他们都这样说，说是报上也有。我们老板有个亲戚在桂林开工厂，说是要搬到这边来。我们老板着急得很。那个厂他有股子。”老许做出严重的表情低声说。

“不会这样严重罢。即使仗打得不好，也不会一下子就打到广西来的，”我不能相信他的话，他也许听错了别人的传言，也许别人根本就没有弄清楚。我进院的前两天，报上刚刊载敌人发动湘北战事的消息。这是一年一度的照例文章。不过今年发动得稍微早一点。大概只是一种骚扰的性质罢。我是这样断定的，所以我能够摇着头坚决地否定了他的话。

“我也不晓得。陆先生，你是读书人，当然比我们懂得多一点。我是想，要是他们厂搬过来，我就到他们厂里去做工。当茶房也没有意思。”老许睁大两只眼睛恳切地望着我，他两只手接连在围裙上面擦着。

“要是有别的事，换换也好。最好能够学一门手艺。你今年多少岁？”

“二十三，”他带着惭愧的神情说。他似乎觉得自己这样大年纪，还没有学到一点本事，是一件可耻的事情。

“你还比我小，我今年二十四了，”我说。

“我哪里能跟你们先生比。你在哪个机关办公？”

“我原先在××银行做事情，现在赋闲了。我比你还不如。”

“你现在是在治病，应该休息。病好了，又会有大的事做，”老许笑着说。

第九床已经唤过老许两次了，我不想再留住他，便换了语调，催促道：“你快到那边去罢。”

“我去，我去。他是老主顾，不能得罪的，”老许自语般地说，他好像还有许多话不曾说出来似的。

午饭后，应该是下午两点多钟罢，病房里相当热，我不能再穿绒线衫睡了，我坐起来，刚把它脱下，杨大夫忽然来了。

“我给你带来一个好消息，”她亲切地笑道。

什么好消息？我想不到。难道我不必开刀，便可以病愈出院？我望着她那黑而亮的大眼睛，微微张开嘴，半晌讲不出话来。

“你明天上午就开刀。已经决定了。好不好？”

这的确是意外的消息。它使我兴奋，但是它并没有给我带来喜悦。我的心跳得厉害。我的安静被搅乱了。在这一瞬的工夫，我周围的一切全改变了，也许我的脸色也变了，因为我看见她怔了一下，过后她又笑了。

“你害怕吗？”她说。“你说过你不怕的。你不是希望早开刀吗？”

我不好意思正面回答，我便改口问她：“头等病房那个病人呢？”

“他明天不开刀了。我便趁这个机会请冯大夫提早给你开刀。照 X 光的结果也知道了，你没有问题，”她和善地答道，带了点满意的神情摇摇她的浓发。

看见她的亲切的微笑，触到她的柔和的眼光，我觉得我的勇气渐渐地恢复了。“杨大夫，谢谢你啊，”我说。

“那么你不要怕啊。好的，你放心，我明天会在旁边看着的。决不会有问题。冯大夫手术很好，”她鼓舞地说。

“我说过的，杨大夫，你在旁边，我就不怕，”我感动地说。

“你心烦或者害怕的时候，你可以背几首唐诗，那会使你安心的。其实上过了麻药，你就什么也不知道了。这是全身麻醉，不会有一点痛苦的，”她声音柔和地安慰我。我感谢她的好意，我相信她的话，但是我不能不奇怪她为什么这样喜欢唐诗呢？并且她又是一个研究科学的人。

“我知道，”我点点头说。“明天早晨吗？几点钟？”

“八点钟。今天我们还有很多工作。总之你放心，不会有问题的。我等一阵再来。”她走了。

我似乎做了一个梦。但我说不出这是怎样的梦，我的笔写不出我这时的心情。要我口述，我也不成。我的思想好像在跑马，来去都很快。我不能说我害怕，但我仍然很兴奋，我的心静不下来。我觉得不能等待了，我盼望一瞬眼便是明天。奇怪我忽然变得性急了。我愿意马上就有一个决定。

“你明天开刀？”第四床姓孔的问，他多少带了点关心的样子。

我回答一个是字。

“大手术，全身麻醉，不晓得怎样啊？”第四床自语似地说，其实他是在问我。可是我拿什么话回答他呢？我没有作声。

“你明天开刀？很好！”第六床姓朱的问。他像在羡慕我。“你会比我先出院的。就是这个女医官给你开刀吗？”

“不是她。是那个年纪大点的冯大夫，”我答道。

“这个女医官姓什么？她待病人真好，”第六床又说。

“她姓杨，大家都喊她做杨大夫，”我故意加重语气答道。他应当知道她的姓，记住她的姓的。他对于自己周围的事太不留意了。

“我自家运道不好，碰不到好医官，”第六床自语道。他大概又要发牢骚了。

我不想再理他，我便拿出《唐诗三百首》来翻看。

我要听从杨大夫的话，好好地读熟它们。

一首，一首，我慢慢地念着。我在读五言律诗的一部分。那些带有音乐性的句子把我引到另一个世界里去，我进入一个梦境，又一个梦境。我忘记了我周围的一切。我的被扰乱了的心渐渐地得到安宁了。

十一床又被一个新病人占据了。想不到医院的生意会这样的兴隆。杨大夫多了一个病人了。

新病人年纪不过十六七，大约是一个商店职员。他的两腿两手都在灌脓，说是骑自行车跌伤了，用冷水洗坏了的。杨大夫给他上药的时候，他孩子似地小声哭起来。

“不要紧，你忍一下。哭过这一阵就没有事了，”杨大夫温和地说，她小心地给他包扎，先包好了两腿，然后再包扎两手。这上药的工作是相当花费时间的，中间还因为那孩子几次的呼痛而稍停顿。但是她的脸上始终带着善良的笑容。最后她站起来，还叮嘱他：

“以后跌伤了不要再用冷水洗啊!”

她从十一床又走到我床前来，笑着对我说：“你不要出去啊。等一阵你还有许多事情。”

她到洗脸盆架那里去洗了手。但是盐水针架子已经放在第二床跟前等候着她了。

接着那个好像在沈睡中的老人开始叫起来了。还是他那拖长的，小孩唱歌似的叫声。

“打不得啦……我要死啦……我以后吃荤啦……真的要死啦……我儿子到哪里去啦……我死啦……”

我忍不住要笑了。

“他现在要吃荤啦!”第八床扑嗤地笑着说。

“你不要喊了，今天给你少打一点,”杨大夫走过来，把橡皮管子理顺，让盐水流得较快一些，她便一摇一幌地走出去了。

“打不得啦，……打死啦……”老人仍旧闭着眼睛哼叫。

“你再喊，也没有用，杨大夫已经走了,”第三床坐起来说，大概这叫声使他感到不耐烦了。他这两天心里烦躁。他好像在等着什么人来看他，却始终见不到一个朋友的影子。

“她会来的,”老人忽然接嘴说，这一次他居然听到别人的话，并且肯马上回答了。

“哼，她会来！她来了，说不定还要叫你多打针勒!”第三床厌烦地说。

杨大夫并没有来。但老人的儿子来了。他后面跟着一个中年妇人，手里还牵了一个五六岁的孩子。我知道这一定是老人的媳妇和孙儿。妇人矮小，瘦弱，苍白。孩子眼睛大，脸小，带着一种病态的黄色。

“爹，他们来啦,”儿子走到床前俯向枕边说。病人含糊地说了一句话。我听不清楚他说的什么。他的脸也被他儿子的背遮住了。后来儿子走开，让媳妇和孙儿到老人面前去。

孙儿叫过了他，媳妇叫过了他。但他们马上就退开了。他们仍旧远远地站着。这使我可以看见老人的脸。老人睁开眼睛无力地看了看他们，两腮动了动，似乎想笑又笑不出来。他吐出一句："你们来啦！"

"是，你好些罢？"

"我要死啦！……我受不了啦！……你喊人把针给我取出来！……"老人喊叫道。

我看架子上那个玻璃瓶，里面还有半瓶盐水。水走得慢，他还得忍受一些时候。

那个媳妇似乎很老实。她答应着，真的就到条桌前去找小姐了。我没有听明白她跟袁小姐和刘小姐（汪小姐今天没有来）讲了些什么话，她的声音很低。我只听见刘小姐答道："不行。不能取。就要打完了。你要他多忍一阵。不要紧的。"那个女人红着脸走回来。她把刘小姐的话对她公公转述了。过后她牵着孩子的手，仍旧站得远远的，望着病人的受苦。

儿子从外面进来，手里拿着那个漱口盅，显然他又去煮了什么汤来了。看见他一步一步走着的衰弱样子，我注意到他的脸更瘦，脸色也更苍白了。那女人在旁边用了同情的甚至哀愁的眼光默默地注视着他的一举一动。

不用说，在这里她更关心的还是这个伺候病人的人。

“要死啦！打不得啦！救救我啦！儿子勒！……”老人继续叫着。

儿子俯下头：“爹，就完哪。我给你热鸡汤来了。打好针你多吃点啊！”他说完，又走去洗手去了。我奇怪，他一天要洗多少次手？

眼科主任郭大夫来了。他的姓我是从第九床的口里知道的。他来检查十二床那个司机的眼睛。他后面跟着一个矮矮的戴眼镜的女大夫。

“今天好一点没有？”他这样问着，一只手拨开病人的眼皮，一只手用手电光在病人左眼前幌一下闪一下。

“还是一样。筋一股一股的蹦起痛。”

“我看还是要挖掉。左眼是救不转来了。不挖掉，怕的是右眼又会发病。理由我昨天就跟你说过了。你懂吗？”那个身材矮小，满颊须根，相貌和善的大夫带着严重的表情说。

“我懂。请郭大夫看看还有没有别的办法，”十二床低着头问。

“我看没有别的办法了，”郭大夫怜悯地摇摇头说。“不过挖眼睛不是一件小事。你先跟你朋友商量一下。将来开刀的时候，你还要找个朋友在证明书上盖个章。”

“郭大夫，是不是我上次害淋病，自己洗，没有弄干净，把脏东西弄到眼睛里头……”

郭大夫不等他说完就打断他的话：“不会罢。致病的原因，一时也难说。你现在多休息，少动，养几天再说。”

“右眼不会有问题罢？”

“你早点把左眼挖了，右眼就不会有问题的。”

“挖了一只眼睛，脸上不晓得要多难看，”十二床自语似地说。

“可以安（嵌）假眼睛。”

“不过假眼睛看不见，又不能活动。近看起来很骇人！”十二床耽心地说。

“可是，就目前的医学来说，除了安假眼睛，也就没有别的办法。”郭大夫说着，禁不住怜悯地微微一笑。他用英语跟女大夫讲了几句，女大夫只是点头应着。

大夫们走后，十二床呆呆地坐在床沿上，望着大门出神。过了一会他躺下来，两只手蒙住脸，头微微颤动。他好像在那里寂寞地哭着。

在他的右手边，老人不再哼叫了。盐水已经打完，针取出来了。老人闭着眼睛，含糊地呻吟着。儿子，媳妇，孙儿全站在床前，不过并不太靠近，他们一直默默地望着他。连那个五六岁的孩子也很驯善地偎在母亲的身旁，只偶尔同母亲低声讲一两句话。

过了一会，我看见儿子同媳妇在谈话，媳妇忽然走到老人枕头边，俯下头和老人说了两句就拿起漱口盅来，用调羹喂他喝汤。老人不拒绝了。他忍耐地喝着，她也忍耐地喂着。孩子要跟到母亲身边去，却被父亲止住了。那个做儿子又做父亲的中年公务员仍旧保持着他那过分的洁癖。他始终不敢多挨近老人，有时挨近了再离开时，他总是不由自己地要露出一点厌恶的表情，而且马上就去用药水肥皂把手洗擦干净。

这一次老人大概喝了不少的汤，因为我没有听见他说过“不要吃”，倒是那媳妇自动地把漱口盅放回到矮柜上去。

“你们回去罢，”老人说。“四宝啦?”他问，头微微颤动一下。

“四宝，来!”女人向那孩子招手唤道。孩子的父亲便让孩子跑到床前去。

“你喊一声啦！行个礼，我们就回去啊!”女人温和地吩咐孩子。

孩子听话地唤了祖父，行了礼，然后跟着母亲走了。

“快去洗手!”女人刚走到床脚边，她丈夫就低声吩咐她。他并且把她领到洗脸盆架前面去。

但是我没有工夫再管别人的事情。杨大夫来找我了。

验血压，扎耳朵，验小便……我看见她为我忙着，我非常感动。我想对她表明我的感激，却找不到一句适当的话。

“明天这个时候不晓得怎样啊，”我对自己说，其实我倒希望她给我一个回答。

“不要紧的，”她微笑道，“至多明天难过一天。不过别人都挨得过，你一定也挨得过。而且我明天也在场的。我会好好地照料你。”

经她这么一说，我觉得更可以放心了。我感谢地对她笑了笑。

她刚走出病室，我忽然听见第一床那个接腿骨的病人叫老郑抱他下床。这是一个不喜欢讲话的人。每天大清早他照例要叫老张给他拿大便盆。此外除了必须和大夫问答的时候外，便难得听见他讲一句话。前天外科主任黄大夫（他是骨科医生）对他说过：“你可以起来走走试试看。你应该走走了。我打算过几天就给你取石膏。”昨天黄大夫又问过他：“你起来走过没有？你不起来走走怎么成？你不方便，可以找工友扶着你走。你一定要起来走走。”两天来他并没有动作，他似乎为这事整整踌躇了两天。现在他决定起来试一试了。

老郑走去抱他。我听见他着急地说：“你把被单给我裹住身子。”接着他被老郑抱起来了，就让他立在床前。一幅白被单像袈裟似地披在他身上，只露出一只光光的右膀来。他身子齐腰靠着床板，两手向后压住床沿。一张丰满的长脸，一头昨天刚剪过的短发，两只不住地霎着的眼睛。他觉得新奇而且带了一点歉意地微微笑着，像在对谁讲话似地自语着：“不行。头昏。站不惯。”他把头略略移动着，他似乎想看这病室里四处的景象。可是他的眼睛霎得太厉害了，他一定不会看清楚什么。

“不行，不行，头还是昏，”他微笑着，道歉似地说。

没有人陪他讲话。第六床一个人低声在抱怨：“他可以站起来了，我还是跟刚进来一样，动都不能动，真是天晓得！”

我看第六床一眼，他的脸通红着，眼睛竖得更高了。

“他进来两个月了，你还不到两星期，当然不同。你何必着急！”我说，我一半是劝慰他，一半是反驳他。

“过两个月还是医不好。我晓得我是不会好的，所以我想换地方。昨天晚上我梦见我娘望着我哭。我怕我再看不见她啦！”

“不会的！你怎么能相信梦！你住医院就应该相信大夫！”我说着，有点生气了。我想：怎样一个顽固的人啊！

“要好医官，我们才信得过。我那个医官一天来一趟，也不管病人死活，脾气又大得很。他会治好病，真是天晓得！”他皱起眉头带着哭相说。

“那么他每天早晨来问你‘好不好’，你为什么总说好呢？”我反问道。

“我说‘好’说‘不好’，还不是一样。他总是不管你，站一下就走开啰。”看他那神情，倒是我的固执和啰嗦使他着恼了。

我不敢再向他说话，便拿起《唐诗三百首》来，念几页，我觉得疲倦，又放下了书。

“请你把书借给我看看，”他说。

我迟疑一下，我不愿把书借给他，而且我以为他不会看这种书；但是我终于把书递过去了。

他翻开书。出乎我意料之外，他并没有即刻阖上书，或者往后面翻过去，他却用了近似唱山歌的声调从头读起来。他一首一首地读着，好像感到兴味的样子。

我朦胧地睡了好一会。我再睁开眼睛时，第六床还继续在读唐诗。我觉得奇怪，我偷偷地看着他。他的眼睛似乎松弛地放平了一些。脸色也不怎么红了。他专心在念书。他的眼光就在字句上移动。我发觉了他嘴角带着笑意，我有点高兴，杨大夫的书居然使这个从来不笑的人笑了！

可是我马上就知道自己错误了。泪珠从他眼角慢慢地滚出，他不是在笑。他哭了。他读到什么人的诗句呢？我倾听着。他好像是在读着“露从今夜白，月是故乡明……”的句子。① 那么他又在想念家乡罢。我那一团

① “日记”的作者在这里加了一个脚注：“先生：你在《憩园》里曾经引用过这诗，你那个不幸的主人公读老杜这首诗，一定受过大的感动罢。我在这里写出另一个不幸人读着它，受到感动，颇有抄袭你著作的嫌疑。可是我和你不同，我不是在写小说，我只是忠实地写下我的见闻罢了。请你原谅我。”——巴金。

高兴不知消失在哪里去了。我不敢再看他一眼，也不敢再留心他的事情。我怕我自已也会像他那样地哭起来。我也是孤另另的在他乡作客啊！

晚上，刚查过病房后第八床回来了。他是这天午饭后出去的，说是到他妹夫的茶馆里去玩。第三床托他买了一盒藕粉，第九床托他代买一些食物，我也顺便请他代买胶布和药皂。他回来时全带回来了。我还得补他十块钱，我感谢地拿给了他。他含笑地接受了我的谢意。身上穿着整齐的灰布中山装，一张脸仍旧让白手帕镶着边，白蝴蝶又从旧草帽下面露出来了（他刚刚揭下草帽来）。他夸耀似地站在第三床面前。

“十多天没进城，东西又涨啰，药皂小块的也涨到一百五啰，本来大的也只卖到两百，”第八床得意地说。

“你在城里玩得好罢，”第三床羡慕地说。

“还不错，看了一场马戏。在我妹夫茶馆里吃了一顿饭。他们茶馆里生意真好！客人川流不息的，一天好几千的进账！”他眉飞色舞地说。他的头一摇一摆的，发上那只蝴蝶仿佛要飞了起来一般。

“他茶馆地点适中，又宽敞，所以生意好，我也去过两次，”第三床接着说。“你在外面听见什么消息没有？”

“还不是战事的消息，有人说湖南的仗打得不大好，也有人说，不要紧，日本不过来扰乱一下就要退兵的，”

第八床满不在意地说。

“老许今天来说，湖南战事打得很不好，不晓得他从哪块听来的?”第三床放低声音说。

“不会的，”第八床摇摇头否定道，“老许不晓得在哪里听来这种谣言。我可以断定不到半个月日本人就会退去。”他又改换了语调：“你要不要冲藕粉吃?我给你拿去冲。我也要冲一碗。”

“好罢，谢谢你，糖在这块，还拿个鸡蛋去，”第三床感谢地陪笑道。

第八床去了片刻又回来了。他满意地微笑着对第三床说：“我碰到胡小姐，拿给她去冲啰。”

不久，胡小姐端了两碗藕粉进来。她一边走，一边低声笑着。她把碗递了一个给第三床，抱歉似地笑道：“冲得不好，太干啦。我不会冲。”

“很好，我就要吃干的，”第八床跑过来接着另外一个碗，笑着抢先说。

“烫啊，你当心点，我去把藕粉盒子拿回来，”胡小姐转身去了。

第八床就站在第三床床脚边，埋下头把藕粉一调羹一调羹地送进嘴里，满意地咂着嘴。

“老苏，我今天看马戏碰到汪小姐，她居然给我打了招呼，”第八床忽然抬起头来说，他匆匆忙忙几下就把藕粉吃光了。

“她一个人吗?”第三床笑问道，他一面吃着藕粉。

“还有一个男人，年纪比她大一点，头顶有一点秃啰，衣服倒很漂亮，她正挽住他的膀子走路，看见我，连忙把手松开，汪小姐今天打扮得很摩登，嘴擦得通红，衣服也换过一身，不像在医院里穿的那样，”第八床得意地说。

“那是她的未婚夫，上个月初才订婚的，是××银行的会计主任，好像上海还有一个家，不然就是续弦。听说这是廖大夫介绍的。汪小姐命不好，从前订过婚，刚要结婚，新郎坐飞机出事死了，所以三十二岁了才订婚，”第九床忽然坐起来兴奋地插嘴说。

“原来这样，难怪汪小姐脸上总带着苦相，”第三床笑道。

“你们不要乱讲啊，汪小姐是个好人，待人也厚道，你们嘴少刻薄点，不要乱讲人家的私事，”胡小姐拿着藕粉盒进来，她大概听见了第九床和第三床的话，她撅起嘴干涉道。

“你胡小姐倒是一个好人，我就没有听见你讲过一句别人的坏话，我们哪里可以跟你相比，”第九床大声笑着说。

十一点的光景，老李来给我灌肠。另一个我没有见过的中年人来剃去我胸前的柔毛。这些奇怪的经验。……它们叫人觉得多不舒服。

“那个剃毛的人，你给他钱没有?”第四床没有睡，他忽然问我道，剃毛的人已经拿着剃刀和肥皂水碗走了。

“什么钱?”我奇怪地问。

“小费，你要给的，多则五十，少则三十，”第四床微笑地说。

“他并没有要就走啰，”我答道。

“他会来的。要钱的事他们哪里会放过！这个医院就是这点不好。处处要钱。尽花在小地方。而且要现钱。其实医院也没有得到好处。这大概是什么抗战作风罢。我从前在南京上海住医院，都不是这样的。你要是多争论一两句，他们就会拿什么物质条件不够的话来堵你的嘴。其实呢，在我们后方，只要你有钱，什么条件都够。”他好像故意不睡觉等着这个机会来对我发一通议论似的。他这两天静静地躺着，难得讲几句话。他现在大概蹩不住了。不过他是不应该抱怨的，他的病一天天地好起来，今天张大夫对他说，再过两天就要给他抽线了。

“是啊，你的意思不错。”我同意他的话，但是我掉过身子把背向着他。我这个时候最需要的是安静，是沉默。我应该先好好地休息一会，然后把过去的事情仔细回想一番。不管生和死，不管怕与不怕，从明天起我得开始一个新的经验了。

我的微闭着的眼睛忽然睁开了，因为我觉得一个黑黑的人影立在我面前。我吃了一惊。但马上我就看出来是那个剃毛的人。他来做什么呢？他不说话，却带着笑容（多么勉强的笑容）望着我。他在等候我的吩咐。

我明白了。第四床没有说假话。我拿出一张五十元的钞票递给他。他带笑地接着，说了一声“谢谢”就走了。

我不由自主地笑了一声。我奇怪我的笑。我为什么要笑呢？我说不出。我觉得我周围的一切都改变了。我和这些人，这些东西好像隔得很远似的。我觉得许多事情都可笑。我奇怪为什么人们的眼光会那样地窄小。

病室里就只燃着条桌前面的那盏电灯。林小姐穿着红绒线衫在那里读书。病人似乎全睡了。痛苦的鼾声仿佛变成了一些有形体的小鸟，它们飞不出屋去，只是盲目地四处撞扑。它们向着我这边扑过来。

我在什么地方？我忽然怀疑地问着自己。我越想睡，越不能睡。我的思潮汹涌起来。过去二十四年的生活对我变成十分可以留恋的了。心境的安宁扰乱了。我感到心慌。为什么？难道我的生命到了末日？

我看见了我那在沦陷区的老父的面颜。他和善而带悲哀地望着我。我后悔两年多没有写信给他，六年多没有去见他一面。他不知道我生病，更不知道我明天要剖肚皮。他是我在人世上唯一的亲人。我因为他续弦的事和他起了冲突，甚至和他断绝信函的来往。难道我就这样静悄悄地永远离开他吗？

“哎哟！哎哟！”忽然从第三病室里传过来这可怕的呼痛声。真是撕裂人心的尖声叫喊！一个女人的声音。为什么偏偏在今天晚上！为什么偏偏在这个时候！

明天我会被人当作一架机器剖开肚皮取去胆囊。在冯大夫的眼里我也许是一架没有生命的机器。可是我自己呢，我真的就会没有一点感觉么？

“不要怕！”我听见一个熟习的声音。浓发大眼，厚嘴唇和那无拘束的和善的微笑。杨大夫！救救我！我只是一个二十四岁的孩子。

没有用。病女人的叫声毁了一切。我不知道那是一个什么样的女人，可是我仿佛看见她在病床上痛苦地滚动，牢牢地抓紧被单，疯狂地叫喊。

我在思想中找不到出路。我的心得不到安宁。我在床上辗转反侧。我低声呻吟。

然而出乎我意外的，杨大夫来了。她没有穿工作衣，只穿了一件灰色的旗袍。我没有注意到她来。可是她轻轻地唤我的名字。

“杨大夫，你还没有睡？”我惊喜地说，我从枕头上抬起头来。“现在有十二点了罢？”我感激得淌出泪来。

“你没有什么不舒服罢，睡得好吗？”她亲切地问。

“我睡不着，心里烦，”我像一个孩子似地诉苦道。

“不要紧，我喊小姐给你吃点睡药，你会睡得好好的，”她和善地安慰我。

我看见她在条桌前和林小姐谈了几句话。她走了。林小姐却端了一个小小的药杯过来。“吃罢，”林小姐说，把药杯递到我的手里。

我一口喝光了睡药。药是咸的，而且带着怪味。林小姐将就这药杯从我的茶壶里斟了两杯冷开水让我喝。

我的心温暖了，我的心安宁了。我相信我可以睡了。

# 第五章　六月七日（星期三）

我想不到我还会活着。我想不到我还能够躺在床上安静地（虽然是衰弱无力地）看着，听着四周的一切。我觉得我已经死过了。其实我不过做了一场大梦，一场可怕的噩梦。

我还不知道我前昨两天是怎样度过的。我不敢回想那两天中的痛苦。

现在我似乎没有大的痛苦了。开刀的地方有时隐隐地痛一阵，但这是很容易忍受的。不方便的倒是我不能转动身子，我必须安静地仰卧。而且我还很虚弱。我容易感到疲倦。我只能吃流质，我的胃口也不好。

上午冯大夫和杨大夫来看我，问我肚子胀不胀，他们对我的状态相当满意。我着急地问他们我开刀的结果，他们只说经过良好，开刀时间不久，流血也不多，并没有找人输血。这似乎是个好消息。我听到，也有点高兴。

杨大夫并没有离开病室。她在给第二床和新十一床的病人换药。新十一床那个孩子的伤口好多了，今天换药时他没有哭，不过轻轻地嘘了几声。第二床似乎还是那个样子。她换好药洗了手后，又到我这边来。

“你今天好多了，我并不骗你，没有危险罢?”她笑着问道。

“杨大夫，谢谢你啊，”我只能这样回答。

“你还记得前天的情形吧，起先你两只眼睛老是望着我，后来……”她像一个长姊似地微笑道。“后来”下面的话她咽住了。

“电灯那么亮，睡在手术台上，绑住两只手，就像牛羊等人宰割一样，我有点害怕，”我慢慢地轻声回答。

“后来?”

“后来你们把帕子盖到我脸上，我听见你在喊我嘘气，又喊我数一、二、三。我只觉得难过，嬖不过气来。难过到了极点，我就没有知觉了，”我仍旧慢慢地一边想一边回答。

“后来? ……”

“我不晓得什么时候才醒过来。你在给我打盐水针，我只觉得两只腿又肿，又烫，又痛，说不出的难过。我心里又发呕。我伤口又痛。肚子又胀。我不晓得那天我跟你讲了几句什么话。”

“你不肯打咸水针，你吵着要把针弄断。幸而你没有气力，我还给你打过一针葡萄糖，还给你放过气，”

她带点哂笑地说。“好啦，你休息吧。你还不能多讲话。”

她正要走开，我却把她唤住了。

“杨大夫，第二床的病怎么样？是不是好一点？”我问道。

她的笑容即刻消失了。她皱起眉毛摇摇头说：“恐怕好不了。我给他换药时候，我真害怕。”她的眼睛射出忧郁的光。“他生梅毒。”

“梅毒？”我吃惊地说，“他不是吃长素吗？年纪又这么大！”

“哪个晓得他会生这种病！到第三期了，一身都烂了，臭得很。我真害怕一个不小心会染到它。”她把下嘴唇咬了一下，便转身走开了。我知道她是到对面那一角给病人换药去了。

我替她感到不快。但我也没有办法给她帮助。我希望这只是她一时的过虑。对那老人的命运，我并没有多大的关心。只是那个中年公务员的有苦无处诉的苍白脸孔却浮现在我眼前。这个打击他应当用怎样的力量去忍受啊……

我倦，我头昏，大绷带（它另有一个正式名字，但是我却叫它做大绷带，这是专用来缚肚皮的）使我气闷，我的背压在大绷带的垫布上很不舒服，我四肢酸痛。我不能再用思想了。

白天我心境还好。我没有感到特别的不舒服。我只是虚弱，没有精神，没有力气，没有兴致。我想睡，也能睡，不过我容易惊醒，醒后更觉得疲倦。

夜给我带来了痛苦。电灯光，甚至是从条桌的上空远远地射来的，也刺痛我的眼睛，病人的谈笑，哪怕就只是偶尔的几句，像利爪似地搔着我的脑子。偏偏一到晚上，他们（第三床，第八床，第九床，还有那个待挖眼睛的十二床）就大声讲着种种的笑话。我烦躁，不安，伤口痛，肚子胀。我一闭眼就觉得那根细的橡皮管从我鼻孔伸进来。我感到说不出的难过，说不出的厌恶。……我的思想，我的记忆全破碎了。有时候我会觉得我头脑里装了一堆渣滓，一堆碎玻璃。

昨晚比今晚更难熬，那痛苦似乎是无终结的。人世跟我离远了，我仿佛陷在地狱里受苦刑。这时候我多么需要安静，可是那些轻病的病人却带说带笑地吵个不停。他们快乐的声音就像许多木棒在敲打我的脑子。第三床用牙齿敲着拍子低声唱歌。第九床讲着笑话。第八床哼着小曲。这其间十二床还插嘴进来，要第八床唱“十八摸”，第八床没有理他，他自己却色情地唱起来：“伸——手摸只在——姐姐的……”我真想打他一个嘴巴！我又想大声叫喊，可是我没有气力。……我头痛，伤口痛，四肢痛。我怕我不能再忍下去。我以为我的末日已经逼近了。但是我听见了那个熟习的声音：

“你们应该休息了。人家病重的，刚开过刀的，晚上多需要安静，你们这样吵不是故意给人家添病吗？”

“是，是，”不知道是哪一个病人这样答了一声。病室里立刻静下来了。我看见杨大夫穿着白色工作衣立在我面前。

“你觉得好点吗？”她关心地问道。

我无力地摇了摇头。

“你能睡吧？”她仿佛知道我的痛苦似的，再问一句。

我又摇摇头。我忽然想起她对我说过要我在痛苦时背诵唐诗的话，我以为她会再拿这句话来劝我。我便用力说：“我的脑子完了。唐诗也完了。我全记不起来。”

她扑嗤一笑，声音小，而且马上就忍住。她哂笑道：“你不要管什么唐诗不唐诗。你还是睡觉要紧。我给你再吃点睡药。明天你的脑子就不会‘完’了。”

今晚，她来得早，就是在查病房的时候。

“你觉得好点吗？”她还是关心地问。

我摇摇头。

“睡药给你开好了。你吃的时候，问小姐要吧。我看你今天好多了。你可以放心。”她和善地笑了笑。

听了她的话，我才觉得我的确好一点了。我还可以听清楚并且强记住外科主任黄大夫和林大夫在第六床跟前谈的话：

"……不应该有这样高的热度。四天都不退热。你看会不会是 Malaria（疟疾——他们讲英语，讲得慢时，我可以听懂一些单字。）？"黄大夫的声音。

"我在研究。我看又不像 Malaria。……"林大夫回答。以后他讲着很流利的英语。我抓不住他的意思。

黄大夫也讲了两句英语，我听懂几个单字，我猜他是在说要是转了别的病，他的膀子就有麻烦了。

林大夫拿起矮柜上第六床的茶壶摇了摇，大声对病人说："你要吃水嘛。你不吃水不会退烧啊。"

"我嘴巴淡，"第六床答道。

"这不是理由。你应该把开水当作药来吃，不管嘴巴淡不淡都要吃！"林大夫的话总是用那种粗暴的声音说出来的，他什么时候都像在跟别人生气一样。他这几句话像起锈的锯子似的在我头骨上迟钝地锯着。

我居然支持住听了这几句对话。但是现在我崩溃了。我的头像被什么东西一下就打碎了。

我想到了我的救药，那唯一的可以给我带来睡眠的东西。我放弃了挣扎。我高声唤起"小姐"来。

# 第六章　六月八日（星期四）

昨晚我睡得熟，我似乎还做了一些梦。我一夜没有醒过。但是老李把我叫醒了。那时我真恨他。我需要睡，我需要安宁。天都还没有亮，他为什么要唤醒我？我努力睁大眼睛，我昏昏沉沉地挨着时刻。

像前昨两天那样，林小姐来给我洗了脸。

窗外一阵一阵的雀噪随着晓风送进来。我的脑子渐渐地清醒了。鸟声像水似的在我脑里流过，我感到一阵轻微的舒适。这情形，前昨两天都不曾有过。杨大夫并没有骗我。我的确慢慢地好起来了。

麻雀愉快地从一边破纸窗飞进来，又从另一面窗户飞出去，留下一只在梁上安闲地唱着歌。病室的上空弥漫着金光。外面是一个美丽的晴天。

我的记忆恢复了，心安定了。脑子像被清水净洗了似的。昨晚的痛苦变成了一个渺茫的梦。我高兴地想着：我复活了。今天我觉得我是一个病愈的人。虽然我还不能剧烈地转动我的身子，可是我的伤口已经不痛了。

每餐一碗“半流质”的食物已经不能饱足我的饥饿。我决定求助于老许。那个年青的茶房每天仍旧要到我病床前立一两分钟。他不是来问我要不要叫菜，却是来问我的病有没有起色。我并不是他的老主顾，几块钱的小费和几句温和的话语使他对我发生了好感。在我的苦痛中我看到了他的同情和关切。我感谢他，我也就觉得人与人中间原是很容易接近的。

上午大夫们来看病人。冯大夫和杨大夫到我床前来了。

“怎么样？今天好些吧？”冯大夫长者似地问道。他那锐利的眼光在我脸上扫了一下。他的八字胡盖着的嘴唇半张开微笑了。其实他不是在发问，他一定已经看出我的健康的进步了。

“好些了，”我点头答道。杨大夫没有讲话，她亲切地微笑着，我觉得她的眼光就在我脸上盘桓。

“伤口不痛吧？”冯大夫又问道，他一面在翻看手里拿的病历表。

“不痛，”我答道。

“我来看看你伤口吧，”冯大夫说着，就把病历表递给杨大夫，过来揭起我的盖被。我上身没有穿衣服，伤口被大绷带绑着。他动手解开大绷带的结头，像剥笋似地解开一层又现出一层，最后伤口快露出来了。我忽然害怕起来。我掉开头，不敢看自己的伤处。

“很好，”冯大夫仍旧埋着头说。“下星期就可以抽线了。杨大夫，请你过去拿点棉花纱布来。”

我看见杨大夫掉转身子走开，又看见她回来。我始终不敢看我的胸膛。我觉得伤口痛了一下。我咬住下嘴唇，准备忍受更大的痛楚。但是痛苦并没有来，冯大夫的手却在收紧大绷带的头子了。我宽慰地吐一口气。

冯大夫抬起头来，他的眼光又在我脸上扫一下：“不要紧了。再养几天就完全好了。”他满意地笑了一笑。

杨大夫没有说什么话便跟着冯大夫走了。我看见他们站在第二床的近旁谈了好一阵的话，似乎在议论那个老人的病势，过后又到对面那一角去了。第二床静静的，一声呻吟也不发。他的生命似乎在渐渐地消失。他儿子仍旧每天早晚来两次。他上午停留不到半点钟，下午倒常常耽搁一两个钟头。上午照旧拿来漱口盅，下午又把它带回家去。他似乎希望就靠着这一点点鸡汤和猪肝汤来挽救他父亲的生命，却没有注意到那生命已经临近油干灯尽的境地了。这天他照常地拿着漱口盅来，照常地俯下头跟他父亲讲一两句话。不过他不再用手帕蒙盖嘴鼻子，他戴上了纱布做的白口罩。这使他的脸显得更苍白，更无精神。他弯下身子扶着他父亲翻了一个身。过后他便到洗脸盆架前面去洗了手，正朝着门外走去。

杨大夫也到那里去洗手。她把他唤住了。他们就站在病室门口谈了一阵话。我不知道他们在谈什么。后来他们一路走到第二床跟前。那儿子就站在父亲的床脚边，垂下头，弯着背，带着可怜相呆呆地望着他父亲。杨大夫却一直走到我面前来。

“杨大夫，我可不可以在外面叫猪肝汤叫面来吃？”我不等她开口便问道，这问话我先前就预备向她说了，要不是她走得那么快。

“可以的，”她笑答道，“不过你不要太吃多了！最好叫他们弄干净点。”

“医院里那一点点东西，实在吃不饱，”我解释道。

“这就证明你的病已经好起来了。可见你的脑子并没有完，唐诗也还没有完罢，”她抿嘴笑道。

我略略红了脸，我想起前三夜的情形，我辩解地说：“杨大夫，你不晓得我那时多难过。”

她怜悯地看了我一眼，微笑说：“不过现在算是过去了。以后我担保你不会再痛苦啰。”

“头等病房那个人开刀没有？”我忽然想起就问道。

“昨天开的刀。结果很好。他胆囊拿掉了。他身体真好，”杨大夫答道。

“那么我开刀的结果怎样？我的胆囊拿掉了吗？”我接着关心地问。

她迟疑半晌，才说：“也很好。你没有流多少血。”

她只算回答了半句，并没有答覆我重要的问题。我知道事情有点不妙了。在她鼻上眉间我看出一点阴影。

“杨大夫，请你对我讲真话，我的胆囊是不是没有拿掉?”我着急地问。

“没有，”她低声答道。她把眼睛掉开去看别处，但马上又转回来望着我。“其实也没有大关系。你胆囊旁边黏液太多，只来得及给你分开整理一下。要拿掉，时间不够，你身体又差一点。其实以后也不见得会再发病。即使几年后再发，你还可以来医院开刀。”

“那么他，头等病房那个人——”我带着愤怒说，后面的话，我说不下去了，我掉开眼不看她。

她受窘似地红了脸，踌躇了一下，过后才温和地充满感情地说：“你不要误会，并不是故意不给你拿掉，开刀时我一直在旁边看着，冯大夫总算尽了他的力量。三十二床身体好，他没有那许多黏液，拿掉也容易些。绝不是因为他住头等病房我们就特别看待他。你可以相信我。”我的眼光又射到她的脸上了。她的眼光是那么柔和，那么善良，那么真诚，而且那么明亮。它们慢慢地却又是深透地进到我的心里。我的不平，我的愤郁，我的懊恼全被赶走了。我觉得惭愧，我不敢再正眼看她。我想说一两句解释的话，但是，张开嘴，只吐出一个含糊的字音，我的嗓子就哑了，我觉得我淌出了眼泪。

“你真是一个孩子。说两句话，就哭起来了，”她带着怜惜的口气责备说。“这是我大意，不该说得这样早。我以为你会相信我的话。”

“我相信的。我只有感激。你不像一般把病人当成机器一样的大夫。你跟别人不同，我说不出，你不要笑我……我那两天想到过，要是我像前一个十一床那样死在医院里，你会为我流眼泪的。……”我激动地声音颤抖地说。

“你不要讲这些废话，”她挥着手阻止我说。“你不要把我也引哭了。不管怎样，你还是我的病人，你还得听我的话。好好地保养身体，不要去想那些无益的事。其实你的病不见得会再发，不拿掉也好。”

“是，我听你的话，”我感动地，不由自主地说。

她满意地笑了。“这样就好。你休息一会儿吧。等一阵 Mister 周要来给你灌肠，”她说。

第三床昨天并没有出院，为这事他几乎跟廖大夫吵了一架，廖大夫已经用了英国的粗话来骂他了。他也赌气地明白说他就要赖在医院里面。后来还是杨大夫和张大夫两个人来把廖大夫劝开，第三床才安静地躺下去蒙着被睡了。我不知道他是不是真睡，可是从这时起他一直沉默着，就是他露出头来不睡的时候，他也是带着寂寞的样子板起脸孔不作声。一直到傍晚，朋友给他送了钱来，他才坐起来有说有笑了。

今天午饭前老许来时，第三床刚看见那个年青茶房的头（头先伸进病室来），马上高兴地叫起来："老许！老许！"

老许带笑地走到他的床前。这个年青人的笑容里似乎藏得有忧愁的影子。

"给我来一份'大红蹄'，一碗猪肝汤，我吃完中饭就要滚蛋啰，"第三床孩子一般快乐地说，一排黄牙露了出来，眼睛接连地闪了两下。

"你今天出院吗？"老许客气地问道。

"不出院就赖在这块吗？人家已经赶过几回啦！"第三床收敛了笑容板起脸答道。

"你讲笑话吧。你不出院，哪个会赶你。你要走，留都留不住，"老许陪笑道。

"哪个跟你讲笑话！你还不晓得我昨天差点跟廖大夫吵起来！我没有见过像他这样不讲理的医生！昨天上半天钱没有送来，走不了，只好受他的气。现在我不怕他！"第三床冷笑道，说到最后一句，他现出得意的神情，颧骨显得更高，嘴显得更突出，口沫也溅出来了。"快去！快去！不要耽搁时间。"

老许唯唯应着，却走到我床前来。我们的眼光先遇到了，过后他说："你今天好些了？"

"好些了，"我点头答道，"给我煮碗猪肝汤吧。"

"要不要吃面？我给你弄点真正的鸡汤下碗面来，包你吃着会讲好的，"他俯下头压低声音说。"对面十六床今天炖得有一个鸡，匀点汤，不要紧。”

“好吧，”我起初想说不要，后来又想答应他，最后便说了上面两个字。“这两天消息怎样？”我忽然想起湘北的战事，顺便又问了一句。在这病室里难得有人讲起战事的消息，这里好像是另外一个世界。连我也不怎么关心外面世界的事情。

老许摇摇头说：“不大好，听说长沙已经丢啦。”

“不会吧，长沙会战三次都没有丢过。报上怎么说？”我不相信他的话。

“报上没有提，说是离长沙还远勒，”老许低声说。

“那么你不用怕。不要乱相信什么马路消息，自寻烦恼，”我哂笑地说。

“老许，快去呀！”第三床不耐烦地催促道。

“老许，老许，过来！”第九床大声叫着。

“还早勒，现在离开饭还有一点多钟，”老许咕噜着走到第九床那里去了。

“快去，先给我煮碗大卤面来再说，”第九床昂着头得意地说。

“我来盘白菜炒肉丝，”第八床正站在他那朋友的床前，说话时身子一蹦一跳的。脸上老是带着故意做出来似的滑稽的笑容。这是一个原籍湖南的人，可是他同别的病人（我也应该算在里面）一样，对湘北的战事一点也不关心。别的人也许根本就不知道有这次的战事。在病室里，人无法看到当地的报纸。

“老沈，过来坐坐罢，”第三床拍拍床沿对第八床说。

“老苏，你今天真的要走吗？”第八床转过脸去笑问道。

“不走我在这块养老？”第三床在高兴中带了一点愤慨的调子说。

“你走了，第四病室也就清静多啰！”第八床笑道。

“我看你也该走啦。赖在这块有什么好处？”第三床说。

“你不要说，这里住一天究竟比在外面花钱少得多！横竖我那位郭大夫脾气好，容易讲话，多住两天也不要紧，并且还可以多点几天眼药，”第八床满意地笑着，便走了过去。

“奇怪，廖大夫跟郭大夫相貌身材都很像，脾气却差了那么多，”第三床慢声说。

“郭大夫是塌鼻子，所以脾气好。廖大夫鼻子高，你如果对准鼻子打他一拳，他脾气一定会变好的，”第八床开玩笑地答道。

“我们这些人当中，我看还是老广最舒服，他一天只晓得笑，只晓得吃，”第三床两眼望着第十床说。那个广东青年穿了一身拷绸短衫裤，盘着腿坐在床上，正把一块大面包塞进咖啡罐里，面包比罐子大，塞进去也较困难，粉屑不住地往下落，他一一拾起来放进口里去了。“他没有痛苦，随时可以往外面跑，又不吃药，每天就敷点‘热敷’①。自己又有钱花。”

“现在自然舒服。如果真要开起刀来，也够他受的，”第八床冷笑说，他露了点幸灾乐祸的神气。“这个老人家怎样？这两天哼都不大哼了，恐怕又要回老家吧。”他指着第二床说。

“恐怕靠不住，说是害梅毒，想不到这样年纪还生那种病，”第三床说。

“梅毒？那真怪。他不是吃长素吗？”第八床惊讶地说。

“越是吃长素的人越靠不住，——”第三床刚说到这里，看见老人的儿子手里拿着一个纸包匆匆奔进病室来，便住了嘴。

那儿子走到条桌前，汪小姐正坐在那里，他喘吁吁地说：“汪小姐，杨大夫叫买的针药买回来啦！”就把纸包放在条桌上。

汪小姐转过头，对那个站在药橱前弄什么东西的李小姐说：“Miss 李，你去请杨大夫来，说第二床的针药

---

① 我想起来了：每天上午八点到下午两点的中间，男看护周先生要给某几个病人送来三次“热敷”，那是像荷叶蒸肉样的东西，外面是漆布，里面装一叠纱布，蒸得极烫，用来敷在病人的发炎发肿处。冷了再换烫的，每次换四五回。

买来了。”

瓜子脸的李小姐答应着，离开药橱走出去了。

那儿子还呆呆地立在条桌前。

“陈先生！陈先生！”第三床大声唤道。

那儿子惊醒般地抬起头朝四周看了看，过后就向着第三床走来。

“陈先生，你父亲的病怎样？”第三床问道。

那儿子无精打彩地摇了摇头。他脸色很不好看，两颊的肉失去了一些。他没有戴口罩，嘴唇四周黑黑的盖着一圈须根，眼角上还留着一点眼屎。他声音破哑地说：“恐怕难得好啰。”

“疮口不是好些了吗？”第三床故意惊讶地问。

“他还有别的病。现在连嘴，连身上都烂了。”那儿子叹息地说，他眼圈也红了。他整个态度上带着一种无可奈何的可怜神气。

“大夫怎么说？”

“大夫也说没有把握。昨天打过一针。今天又叫买针药，好贵啊！今天两针就花了一千六百块钱。我实在花不起。不过不给他医病也不行，心里也过不去——”

杨大夫摇摇幌幌地走进来了。那儿子马上住了嘴去迎接她。

“药买回来了？”杨大夫问道，不等回答，她又说：“马上就打。”

过了一会，我看见杨大夫拿着针走到第二床跟前，李小姐跟在她后面。老人接连发出几声含糊的呻吟，过后又寂然了。杨大夫同李小姐一路向着条桌走去。我听见杨大夫吩咐李小姐，要她给第二床洗洗身体。我暗想，这应该是一件多么不愉快的工作。

果然在十多分钟以后，李小姐换上一件背后开襟的工作长袍，戴上一双透明的皮手套，并且挂上口罩，端着一盆水，走到第二床跟前去。

“李小姐，好差使啊!”第八床开玩笑地说。

李小姐回头看了他一眼，她和顺地微微一笑，然后转过脸去开始工作了。

这瘦小而容貌端正的女孩忍耐地毫无怨言地用毛巾在病人的脸上，肢体上慢慢揩拭，又用棉花蘸药水给病人洗牙齿和口腔。那儿子不敢挨近，却只站在床脚过道中旁观着。眼泪一滴一滴地挂在他苍白的颊上。他不等看到李小姐做完工作，卒然转过身逃走了。

“这就是他亲生儿子吗?”十二床忽然坐起来向第三床问道。

“是的，”第三床答道。

“父亲病这样重，就说在办公署，也该请几天假来陪陪他。人家看护小姐都肯做这种事情，做儿子的倒转身跑开了，真是岂有此理!”十二床得意地发议论道。他走到第三床的床前，就在床脚一角空地位上坐下来。

“这也难怪他。一家人靠他吃饭啊，”第三床解释地说。

“老苏，你今天出院，你太太来接吗？”十二床换了一个话题说。

“他是个光棍，哪里来的太太？”第八床扑嗤笑道。“你给他介绍一个罢？”

“好的，”十二床笑答道。“老苏，你要哪一种人？”

第三床露出一嘴黄牙吃吃笑着。“只要是年青漂亮的，随便什么人都好。”

“年青漂亮的摩登，你吃得住吗？我劝你不要妄想。还是讨个乡下老婆好。任凭你打你骂，都乖乖地不响一声，”第八床眉飞色舞地笑道。

“乡下老婆太呆，不好。要讨老婆，我觉得还是看护小姐好，又体贴，又周到，——”十二床一面说，一面望着那个给病人洗好了身体正在铺床单的李小姐。李小姐装着没有听见的样子，连头也不转过来。

“小声点！”第三床打岔地说，他一面指着李小姐。过后他又蒙住嘴暗笑着，第八床也快乐地偷偷笑着。对他们，这种低声暗笑似乎比大声欢笑更有趣味。

十二床毫不觉得羞愧地提高声音继续说下去：“——看护小姐脾气又好……”

但是这次眼科主任郭大夫来打岔了。“你现在就跟我到门诊部再去检查一下。”

笑容立时消灭了，十二床垂着头蒙住左眼跟着瘦小的郭大夫走出去。

我觉得高兴，我想我的耳朵该可以清静片刻吧。但是男看护周先生来给我灌肠了。

正在开午饭的时候，十二床蒙着左眼回来了。

“怎么样，老冯?”愉快地吃着“大红蹄”下饭的第三床抬起头问道。我才知道他也姓冯。

十二床摇摇头，也不拿下手来，声音带哭地答了一句:“还是要挖,”就崩溃似地倒在他的床上。

“哪天挖?”第八床放下饭碗，带着幸灾乐祸的样子问道。

“明天,”十二床哑声回答。

“挖眼睛不晓得是怎样的味道,”第八床把眼睛闪了两下，自语道。

没有人理他。第三床同情地问十二床:“你不吃饭?”

“我不饿,”十二床哑声答道。我不敢想像他这时同明天的痛苦。

“老冯，吃点饭吧。用不着难过。一只眼睛还不是一样地看东西,”第八床似乎是在安慰那个病人，其实他是在说风凉话，我看得出来。

十二床没有回答。第八床觉得没趣便不作声了。第九床却接嘴说："老沈，你觉得不觉得，我们这班人都是前世欠了债，或者赌错了咒，现在打在地狱里受活罪，有的挖眼睛，有的剖肚皮，有的锯手，锯腿……这叫做命该如此。"他眯着两眼摇头摆脑地笑起来。我气得脸发烧了。

"不错，不错，"第八床带笑附和道。"我跟老苏两个都是债还清了，所以他今天出院，我过两天也要出院啰。"

"其实你今天也该出院的。郭大夫人好，容易讲话。要是遇到廖大夫，早就把你赶出去了，"第三床笑道，他始终没有忘记对廖大夫的那点仇恨。

"那只怪你没有势力。你看头等病房那位太太，病早好了，整天梳头擦粉，廖大夫也没有赶她走过，"第八床接嘴说。

"头等病房，那是有势力，有人情的人住的。你有办法，住个一年半载都没有问题，"第九床冷笑道。

"人家受苦，你们高兴，真是天晓得！你们笑，你们笑，我要亲眼看到你们哭！"第六床这一早晨没有讲过一整句话，忽然咕噜起来。我同情地移过眼光去看他。他脸色黄中带红，眉毛眼睛仍旧朝上竖，两眼通红，并且射出憎恨的光，嘴唇不住地动着。

"你多喝水啊，"我看见他的脸，忍不住说出这句话来。

“水吃多哪，小便多，你喊老郑倒小便壶，他又要骂人。这些人真是天晓得！”他恨恨地说。我还没有听见他叫过老郑倒便壶，我想这又是他那种爱抱怨的怪脾气发作了，跟他多讲也没有用。我便不去理他。但是我仍然暗暗地观察着他。他伸手在矮柜上摸索，抓到了茶壶，拿起来放到嘴唇边，大口地喝着。我只听见骨都骨都的声音。从他嘴角流出小股的水，他也不管它，只顾把壶柄举高，只顾吞下水。最后他拿开了壶，放回到矮柜上去。“吃完啰，”他静静地说。

“好的，你多喝水，会慢慢退烧的，”我说，我忽然高兴起来。

第三床出院了。“再见啊，我过两天来看你们，”他带点留恋的样子对他认识的人说。

下午，胡小姐来试表的时候，我听见她惊讶地问第六床：“怎样啦？你刚才喝过开水吗？”

“没有，”第六床瞪着眼回答。这天他没有吃过一碗饭。开饭时，工人端了饭碗到他床前，他皱起眉毛摇了摇头，神情是相当苦恼的。

“你一百零五度啦！要当心啊，要多喝水啊，你懂吗？”

“我懂。”他伸手去摸茶壶，诉苦地说：“没有水啰。”

“你喊老郑给你冲罢，”胡小姐说。

“老郑，我不敢喊他。他理都不会理你，”他抱怨地答道。

“我给你拿去冲，”她拿了茶壶出去了。

“这个小姐姓什么？”他忽然问我。

“姓胡，”我大声说，我心想难道你还不知道，倒故意来问我。

“我要谢谢她，”他自言自语。

胡小姐拿着茶壶走回来，把壶递到他的嘴边，温和地说：“不很烫，你现在就喝点吧。”

他没有说什么，就捧着茶壶疯狂地喝起来。

“慢点，慢点，”胡小姐觉得好笑似地笑了。她笑起来多像一个小孩子！她仍旧拿着壶柄，站在床前。过了一会她说：“够啦，够啦！等一阵再喝。”她慢慢地把壶从病人嘴边拿开，放回到矮柜上面去。

“你只管多喝水。喝完了，你喊我，我给你去冲，”胡小姐给他拉好被单，临走时又这样嘱咐他。

“我还要吃。”他伸手去拿壶。“我拿给你，”胡小姐说着又把壶递给他就走开了。

他喉咙响得厉害。他喝得太急，水进了气管，使他呛咳起来。他连忙放下壶，被单已经湿了一团。他蒙住嘴，但是咳嗽并没有停止，他一张脸挣得通红。

我想笑他，但是我笑不出声来。他这副滑稽的苦相使我感动。我禁不住想：生命的引诱力多么大，生活的欲望多么强！每个人进到这里来都只是为了想活下去。谁又不怕死，不愿意避免死呢？

第六床咳嗽止了时，他闭着眼睡了一会儿，我不知道他是不是睡熟了，不过他没有出声，也没有转动。这其间有一个司机装束的朋友来看他，那个人静静地在床前站了几分钟，也没有惊动他，就放下一个纸包在床沿上悄悄地走了。

客人走了不多久，第六床便醒了。他望着纸包现出惊奇的神情。他伸手拿起它来，放在胸前慢慢地解开麻绳。

“你一个朋友送来的。他没有说话，就走了，”我告诉了他。

“他以前来过没有？年纪大不大？”他瞪我一眼，问道。

“我没有见过他，年纪跟你差不多罢，”我顺口答道。

“多半是×××，是，一定是他，”他自语道，他说出一个人的名字，但是我听不清楚。他脸上肌肉动着，嘴角的弧线慢慢地松弛，他带点愉快地微笑了。他打开了纸包，那是一包饼干。他又把纸包圄拢，提着它向我伸过来，着急似地说：

“你吃，你吃！”

“谢谢你，我现在不要吃，”我摇摇手道谢说。

“你拿住，你拿住！”他显得更着急了。“都是出门人，何必分彼此！不要客气。”

我勉强接过纸包，从里面取了两块饼干，然后把纸包递还给他。

“你等一阵再吃啊，”他热切地说。他细心把饼干包好，放到矮柜上去。过后他又伸手到床下去拿便壶。他在凳子上摸到了它，提起来拿进被窝里去。过了一会，他把便壶放回到凳上，凳子震动了一下，从那起锈的洋铁壶口溢出一点小便来。小便带白色，并且有一股浓浓的大蒜臭。

“小便壶又满了，他们也不来倒，”他抱怨着。我知道今天下午老郑上班时，已经倒过便壶了。下一次倒便壶的时间应该是晚上九点钟以后。

但是老郑走进来了，他是来跟汪小姐讲什么话的。

“老郑，老郑！”第六床大声叫道。

老郑好像没有听见似的，连他耳朵也不动一下。事实上他不会不听见这唤声。

“老郑！”第六床又叫了一声，但他声音已经沙哑了。

老郑却掉转身子要朝外面走了。

“老郑，第六床叫你去！”第九床坐起来特别用劲唤道。

老郑板起面孔，大步地向第六床走来，但是走近第八床床脚便站住了，不客气地问道：“你喊什么?”

“我的小便壶满啦，”第六床答道。

“我没得空！”老郑冷冷地说，他似乎连看那病人一眼也不愿意，就把身子掉开了。

“老郑，你就给他倒一下罢，”第九床带点不以为然的神气插嘴说。

老郑的死脸（其实我应该称它做死人脸）上现了一丝活气，眼睛也动了。他对第九床说：“洪先生，你不晓得，我们一天要做多少事情。简直没得一点空。第四病室二十四个病人，偏偏他一个人花样多！我们不能将就他。”他说得好像他很有理似的。

“他生了病，也是没法的事。未必哪个故意解那么多小便！你给他倒一回罢。真的满啰，臭得不得了，”我也插进来说。

“好罢，我就给他倒这回，”老郑放软口气说。但是他并不走来拿便壶，却扬长地往外面走了。

“他走啰，真是天晓得！”第六床又怨愤又着急地自语道。

“他会来的，他说过就要来的，”我安慰他说，我相信老郑马上就会来。

第六床静下来了，他忍耐地等候着。

但是老郑直到一个钟头以后才来。在他来之前杨大夫来了。还是那件有两团黄印迹的白色工作衣，两只手插在袋子里。她和张大夫同时进来，他们来看他们的病人。杨大夫先看新十一床。那个少年的伤口快全好了。她对他说："你明天可以出院啰。你再到门诊部换一两次药就成了。"她走到我床前来。

"你现在觉得怎么样？更好些了，是吗？"她带笑问道。

"是的，"我答道。

"不要动啊，还得好好地睡几天，"她吩咐说。

"我知道。"

"这就好，"她满意地说。过后她略略偏起头注意地看了我一眼，慢慢地笑起来，"你好些地方都像我一个弟弟，你说话的神气，你的笑像得很。"

"那么他现在在哪里？"我问道。

"他本来在桂林读书，这学期身体不好，住在乡下养病，没有出来，他年纪比你小一点，今年才二十，刚在大学读过半年书。"

"杨大夫，你跟他分别多久了？"我又问。

"快一年了，我去年回到家里住了半个多月，"她答道；我在她眉宇间看出一点忧虑的阴影，但她马上又用微笑掩饰了，她换过话题说："我告诉你一个好消息，你知道吗，盟军在法国登陆了。"

"今天吗，昨天？"我兴奋地问道。

"前天。登陆已经成功，看情形战事一定可以在明年以内结束，"她也显得兴奋了。"病室里面没有报看，所以你们什么消息都不知道。"

我忽然想起老许告诉我的关于湘北战事的话，便问道："杨大夫，听说这次湘北战事打得不大好，是真的？"

她的笑容一下子就消散了，那阴影又回到她的眉宇间来。她低声说："真的，我的家就在衡阳乡下，所以我有点放不下心。"

"衡阳当然不会有问题，"我说。

她摇了摇头，沈吟地说："这一次跟前三次不同。现在人心惶惶，听说连桂林也骚动起来了。我们中国人爱听信谣言这个习惯太不好。不过报纸消息太慢，又不一定可靠，更使人容易听信谣言。"

"不会的，战事绝不会坏到那样，杨大夫，你放心罢，"我诚恳地安慰她道。

她用感谢的眼光看我一眼，接着她忽然把头向上一扬，她大股的浓发本来拂到她脸颊了，现在又一齐飘回到脑后去。她脸上又露出笑容。她说："真滑稽，现在倒是病人来安慰大夫。你好好休息罢。冯大夫常常笑我爱跟病人讲话，我这个毛病总是改不掉。"她那亲切和善的笑容，仍旧留在她脸上，我望着她的脸，我不相信刚才曾在那上面见过了忧虑的阴影。

她去了。她站在第二床旁边，她俯下头似乎在说话。我真替她耽心。“不要靠得那么近啊！你不怕会传染吗？”我真想大声叫起来。

第二床在讲话，声音低，一个字也听不出来。过后又寂然了。杨大夫抬起了头，我心上的石块去掉了。

老郑提了空便壶回来，摆出不高兴的脸孔，砰的一声把便壶掷（可以说是掷）到凳子上去。“来啦！你啊，你多啊，啊满又给你倒。”

第六床两眼直瞪着老郑，好像没有听懂那些话似的，右手伸出来，不住地颤抖着，但它终于抓到便壶了，它立刻拿起便壶，匆忙地塞到盖被下面去。他吐了一口气，他红黄的脸膛上露出一丝笑意。然后他又把便壶放回到凳子上。

一个扁脸的大夫走到床前来了。这个大夫不算矮，年纪不过二十六七罢。他看了看第六床床头墙上挂的牌子，然后又看一眼那只被吊起来的左膀，他问道：“你可以翻身吗？”

第六床茫然望着，不知道怎样回答。

“你这只膀子可以取下来吗？”大夫再问一句。

第六床还是瞠目不作声。我忍不住替他答道：“不好取开。他就只能仰起睡着。恐怕不能翻身。”

大夫点点头又问他：“你有什么不舒服吗？”

“我嘴巴淡，头昏，”他答道。

大夫走到他右边来，揭开被，开始了检查的工作，这也无非在他身上敲敲听听。大夫检查完了，转过身子问我：“他是不是脑子不大清楚？”

“恐怕多少有一点罢，”我答道。

大夫刚走开，第六床忽然唤我：“陆先生。”我把眼光射到他脸上去。他也在看我。他两眼的注视叫受到的人觉得不舒服。

“医官说我怎么样？”他关切地问道。

“他没有说什么。他刚在检查。”

“他有没有说过我要死？”他又问。

“没有！没有！你不过发点热，不要紧！”我起劲地分辩道。

扁脸大夫捧着木匣子过来了。他把木匣子放在矮柜上，顺便将茶壶推进去一点。他的眼光停在茶壶上面。他拿起茶壶摇一摇，问第六床：“这是你的壶吗？你今天喝了多少？”

“两壶。”

“不够，不够！你一天应该喝八壶！”大夫说，一面伸起八根指头给这病人看。

“八壶，他们每天只来冲三壶，”第六床皱起眉头说。

“不够。”大夫摇摇头。“你可以用两把壶。我跟小姐说一声，给你多拿一把壶来。”

大夫扎过耳朵后，果然去跟汪小姐说了。不一会汪小姐送了一壶水来。汪小姐的脚应该是个“改组派”，走起路来一歪一拐，她身子的摇幌法和杨大夫的不同。杨大夫走路时有点像一个不修边幅的男子；汪小姐袅娜有致，像一个旧式的女人。她不喜欢多讲话，说话时声音又小，所以她虽然是第四病室的护士长，整个病室都在她管理下面，但我们有时候竟然会觉得她好像不存在一样。每个病人都认识她，可是她跟谁似乎都不熟，虽然她对待病人也相当和善。

“你现在就吃一点好吗?”她说着，便把壶嘴送到第六床嘴边。第六床也不出声，只把嘴张开，让水慢慢滴下去。

“你自己好好吃罢。吃完了，你喊我一声，我给你冲，”汪小姐柔声地说，她松开手，一扭一扭地走了。一个胖胖的女大夫迎着她走来。她招呼一声：“周大夫。”

“就是这个病人发高热吗?”女大夫问道。

“是啊。刚才王大夫来看过，”汪小姐答了一声。

这位周大夫来到第六床跟前，检查的工作又做了一次，同先前那一次完全一样。略有一点不同的是周大夫问话较多，第六床答话也较多。从这次对话中我才知道在那所只有一个勤务兵照料的××医院里面，他被抬进去的那一晚上，半夜下着大雨，屋子漏得厉害，没有人来管他，让他淋雨到天亮。我猜想，那次淋雨一定是他现在发烧的主要原因罢，可是周大夫并不给我一个解答。

周大夫走后，过两个多钟点罢，又来了一个瘦大夫。他的相貌和扁脸王大夫相差很远，可是，奇怪！我刚一看见他，竟然以为他就是王大夫，心想：你已经检查过了，怎么又跑来原样地再做一次！我这错误，一直到他走时才被我自己发觉了。

“奇怪，他们一个一个来做什么？”第六床问我道。

“来给你看病，”我答道。

“光是看病，又不给我药吃，真是天晓得，”第六床咕噜道。

“查出病来会给你药吃的，你不要着急，”我安慰他说。

“我不着急！我怕我等不得啦！”他说。我受不住他那火似的眼光，他好像在要求我给他生命似的。

老郑来冲水时看见我们这边有三把壶，正要将一把壶拿开，第六床着急地叫起来：“我的！我的！”

“你的？你一个人要用两把壶？”老郑挖苦地说。

我看见第六床口吃着讲不出话的可怜样子，我便替他回答道：“汪小姐给他的，大夫喊他每天要喝八壶开水。”老郑不再作声，冲了三壶水，便走了。他的脸色是相当难看的。

晚上又来过一个四十多岁的大夫，是王大夫陪着他来的，我第一次看见他那庄严的面孔，我想他也许是内科的主任罢。他简单地把第六床检查了一下，低声和王大夫问答了几句，听筒还挂在颈项上，他慢慢地走了。

“这个医官一定会查出我的病来，”第六床忽然兴奋地说。

“不错，他当然会查出来，”我顺着他的意思说。

可是这一夜并没有谁给第六床带来一点消息。

查病房的时候，大夫到了好几位，黄大夫、廖大夫、杨大夫、张大夫都在。他们走过第六床时，那个发烧的病人忽然大声问道：

“医官，我的手会不会好？”

“会好的，哪里有接不好的道理，”黄大夫哂笑地说，他轻轻挨了一下那只吊着的膀子，又翻了一下病历表。“他的热没有退，内科来看了没有？”

“明天就转过去，”张大夫答道。

“好的，”黄大夫点一下头。

“你怎么样？”杨大夫转过身含笑问我道。

“很好，”我答道。

黄大夫听见我的话，连病历表也不看，就走过去了。

“今天，我不给你开睡药了。睡药吃多了不大好，”杨大夫温和地对我说。

“谢谢你。我想我今天会睡得着，”我微笑着回答。

我刚闭上眼睛，就听见十二床在讲话，他的朋友来了。

我记起来，今天下午，吃晚饭前郭大夫跟他谈了几句话：

“……不过按照手续，你应该请一个人在证明书上签个字，最好是亲戚，朋友也行；不然我们不好开刀。危险我担保不会有。不过这不是小手术啊。……”

“我想……”十二床说了两个字，就不响了。人不知道他心里想的是什么。

“你不愿意开刀也可以。不过我怕连你这只眼睛将来也保不住，你好好想想看。这也得你自己愿意。没有人签字，明天就不能开刀。……”

郭大夫立在床前等候着十二床的决定。

过了一会，十二床声音发颤地说：“我想还是开刀。我就去请小姐给我打电话找个朋友来签字……”

现在他的朋友果然来了。他在对朋友讲述他的事情。我看不清楚那朋友的面貌，但装束却是跟十二床一样，这大概是他的同事罢。

“我觉得挖掉眼睛也不妥，”朋友沈吟地说。

“不过医官说要救住还有一只眼睛，只有快点把病眼挖掉。你不晓得我脑子痛起来，痛得多厉害。其实我也不想挖，光是想起来就怕人。不过不挖掉，我又怕连性命都保不住，”十二床绝望地解释说。

朋友沈默了片刻，最后说：“那末我就给你盖个章。

明天上半天吗下半天开刀？"

"医官说上半天八九点钟。"

"我明天请假来陪你，"朋友说。

他们的谈话仍在进行。可是我非常疲倦，我打起呵欠来。我要睡了。

# 第七章　六月九日（星期五）

今天我觉得精神更好了。一醒来，我就觉得肚饿，我吃了一碗稀饭，是用糖拌着的。

“吃饼干啊，”第六床递过一个纸包来说。他脸色今天显得更黄，嘴唇干得结壳了。

“谢谢你，我吃饱啰，”我笑答道。

“你拿去，你拿去，我不吃，”他固执地说。我接了过来，放在枕边，但我并不想吃。

“你今天怎么样？好点吗？”我问道。

他摇摇头：“我头有点痛，还是发热。”

看护小姐们来铺床了，病房里充满了她们的清脆的笑语声。她们经过第六床床前，连床单也不拉一下，就让它乱着。我看见张小姐指着他同那位举动呆板的方小姐低声讲了两句话，她们也走过去了。我们这一排的病床除了第六床外，全铺好了。

“今天怎么啦？”第六床瞪着两眼说。我才注意到他整个眼白都带着杏黄色，眼光显得狂乱。两眼的肉不自然地微微搐动。人不知道他想表达什么意思。他似乎想笑，但他笑得多痛苦。

我看他一眼，不敢去理他。心里想：他会发狂吗？

“就不管我吗！”他自语道。

但是张小姐捧着一盆水，方小姐抱着干净的床单一路来了。

她们给第六床揩洗了身子，又换了床单和被单。他默默地让她们摆布着。他似乎感到一点舒适。

“怎么今天又这样客气？”他低声自语道。小姐们不曾听懂，也不曾注意他的话。

汪小姐走过来，也不说什么，就把一方纸片贴在第六床的号牌上，并且在那上面添加了一块红纸的小圆牌。她又默默地走开了。

他忽然觉得不安了。我看见他几次偏起头去看红纸牌，他似乎想看清楚那上面的字迹，可是没有用，他不能够坐起来。

“不要动啊！”方小姐干涉道。

“唉，”他叹了一口气，不再去看红纸牌了。可是他脸上突然笼罩了一层死灰色，这不知道是从什么地方飞来的。我觉得他似乎要哭起来了。“小姐，小姐，”他忽然望着方小姐大声说。

“哪样？”方小姐问道。

“请你给我带个信到××坡××器材库，找李××库员来一趟，说我的病不得好啰，”他苦痛地着急说。

“不要紧，你会好的。你不要乱想，”方小姐说道。

“我晓得，我要死啰，你们给我在洗身子，”他固执地说。

“今天你转到内科了，所以给你洗洗身子，你懂不懂?”张小姐大声开导说。

“我没有内病，转什么内科?”他反问道。

“你晓不晓得，你现在害斑疹伤寒，等你转到内科去医好了再来医手，”张小姐接嘴说。

“什么斑疹伤寒，我不懂，我一定要死啰!”他说。

“不要跟他讲。他脑子不清楚，”方小姐对张小姐说。

张小姐点点头，她们铺好床走了。

“我还没有死啦，你们怕什么!”第六床自语道。

就在这时他两个朋友来了。一个是那天给他送饼干来过的，还是那一身司机的打扮；另一个穿一件长袍，年纪更轻，似乎还不到二十。

“今天好一点吗?”司机含笑问道。

“你们来得正好，”第六床着急地说，好像肚里有许多话，要即刻全吐出来似的；“我的病不得好啦!”

“不会的，你好好养一下，”年青的朋友含笑说。

“我晓得，我一定要死，”第六床固执地说。

“医官怎么说?”司机朋友问。“是不是他说你的病危险?”

“医官不会讲真话,”第六床答道,他又用手指指着他头上:“你看那个红牌子上面写的什么字?”

年青的朋友真的去看了,他说:“没有关系。是‘隔离病人’四个字。并没有说危险。”

“不危险?他们怎么也不来看我?一个医官也没有来过,也不给我打针。我一定要死的,我晓得我要死,我并不害怕!”第六床瞪着眼说。

“那么我们去问问医官看,”两个朋友低声商量了一会,最后司机朋友提高声音对第六床说。

他们先到条桌前去找汪小姐。我看见汪小姐在跟他们讲话,但我听不见她在说什么。他们又离开条桌了。两个人商量着似乎不知道应该到什么地方去。他们走到门口,忽然注意到十二床旁边立着一个大夫,便掉转身子走到十二床跟前。这是郭大夫,他在开刀之前还来对十二床解释开刀的必要,并且劝他不要存惧怕的心思。他声音温和,略带口吃,但话语清晰而有条理。

“医官,朱云标的病有没有危险?是不是要给他打针?”司机朋友忽然插进来说,把郭大夫的话打断了。

“哪一位?”郭大夫露着微笑客气地问道。

“第六床,”司机朋友指着那个病人回答。

“他不是我的病人,你去问护士长罢,”郭大夫摇摇头抱歉地说。

“不是他的病人！就可以不管。那么该哪一个医官来管？”年青朋友走回来时，一面咕噜着。

“我们去问问那个女医官，”司机朋友看见杨大夫跨着大步进来了，便提议道。两个人走去把杨大夫迎了来。

杨大夫看了一眼病人的牌子，温和地说：“他害斑疹伤寒，转到内科了。内科的大夫会来看的。不要紧。”

“医官，医官，”第六床声音打颤地叫道。“我是不是今天就要死？”

“你要死？笑话。你这个病算什么！现在害斑疹伤寒的人很多。”她带笑说，她把眼光向四处看了一下。“你看第三床那个新来的病人，不也是害斑疹伤寒吗？你不要着急，不会死的。”

杨大夫提到的第三床新病人是昨天傍晚来的，那时我在睡，醒后我也没有留心。我只知道他是一个内科的病人。从昨晚到现在他似乎没有讲过一句话。先前汪小姐来挂红牌子时，也曾到他的床前走过。他的床前也有一个“隔离病人”的红牌子。

“你住院好多天了？你还记得吗？”杨大夫问道。

“两个礼拜，”第六床答道。

“那么你这病是从哪里来的？你在什么地方给虱子咬了来？”杨大夫惊讶地问道。

我记起了我住院前听见人说起关于斑疹伤寒的话，

这是由虱子传染的一种病，最近由过境的新兵带到这城里来的。难道这医院里有了虱子？

“不晓得是不是那晚上在××医院得来的，”第六床说。

“不要紧，你不要怕。内科的大夫来给你吃了药就会好的，”杨大夫安慰他说。过后她转过身朝着我问道：

“你今天怎样？更好一点罢。”

“好。”我点点头。

“我等一阵再来看你，”她笑笑便走了。

第二床还静静地睡在那里。他儿子又拿着漱口盅来了。

“爹，你要不要吃点猪肝汤？”他放下漱口盅时，问道。

“我不吃，”老人说。他脸朝着矮柜，侧起身子睡着，讲话时身子也不动一下。

“你今天好一点罢，”他儿子稍稍俯下头，关切地问道。

“儿子，我好不了啊。……你快去找李三爷，请他把那块地让给我……”老人激动地，用了大的力气说，声音抖得厉害，但也相当清楚。

“李三爷那天说他还有朋友要那块地，他恐怕不肯让给我们，我又拿不出钱，”他儿子着起急来，打岔地说。

“你跟李三爷说，请他看在亲戚份上委屈一点罢。我们如果不是遇着战事，也不会弄到这个地步。他可怜我，少要一点钱，我来生愿意变牛变马来报答他。”

“爹，你也不至于有什么……。我连一个钱也拿不出，李三爷怎么肯答应……”他儿子带哭声说。

“我不会好啦。我白活了一辈子。家也回不去了。想不到要在异乡埋骨。我只想有一块干净的地。李三爷那块地我看中了的。你设法给我筹点钱罢。我累了你这几年，这是最后一回了。”老人喘吁吁地说着话，身子不停地在颤动。我只能记下他的言语，却无法忠实地写出他的口气和几个语助词。

他儿子仍旧立在床前，没有回答他。

“你快点去啊！你早点把地给我弄好，我就放心了，”老人催促道。

“我就去，我就去！”儿子迸出带哭的声音说，忽然伸起两手抓自己的头发，疯狂似地跑出去了。

这一上午没有看见老人的儿子回来。老人好像很不安地等待着。我颇同情这个儿子。老人的精神今天显然好起来了，他也许不会有危险的。那么为什么一定要逼着儿子去做那件为难的事呢？

午饭后不久，老人忽然大声叫起“小姐”来。汪小姐正站在十二床旁边照料那个挖眼睛的病人，便走过去问他："哪样？"

"请你打个电话给我儿子，要他马上来一趟，"老人焦躁地说，中间停顿两次才把话说完。

"电话打到哪里？多少号码？"江小姐问道。

"××局第二科，就在××街，"老人说，声音不十分清晰了。

"要不要说什么事情？"汪小姐再问一句。

"要他快，快来！"老人叫吼似地说，显然他是用了最大的力气说出来的，过后他便寂然了。从这时起他就再没有发过声音，也没有转动身子。他好像在睡，而且睡得很好。

他儿子并没有来。我不知道汪小姐电话打通没有。下午快到两点钟的时候，老郑提了铅桶进来倒便壶，他走到第二床跟前，拿起床下的便壶，平日不讲话的第一床忽然说："老郑，你摸摸看，第二床怕不对啰？"

"这样臭，哪个要摸他！"老郑不高兴地答道。

"怕什么，我不是闻够了吗？"第一床温和地说，但老郑仍然拿起便壶走了。不过他倒好便壶送回来时，忽然把第二床的盖被揭开半幅，用手在他额上手上挨了一下。"他真的走路啰，"他自语了一句，过后便提高声音唤道："汪小姐，汪小姐，第二床回老家了。"

"好的，你去喊人来抬罢，"汪小姐从条桌前这样吩咐道。等老郑提着铅桶走了，她才慢慢地走过来，在老人的头上摸了一下，又慢慢地走开了。

不一会老郑便带着两个工人抬了一付担架进来。他们很快地就把老人的尸首包好，放在担架上抬出去了。老郑走在后面，抱着用脏了的棉絮，被单，草垫等等东西。

病室里剩下一张空的床板。汪小姐点了两根香拿过来，插在木壁的缝隙中间。

“又是一个。偏偏我们这一边不吉利，这个月已经死掉三个了。对面一个也没有，”第九床说。

“三个？哪三个？”第八床问道。

“前头十一床，第二床，还有前头第五床，就是一号大清早死的，”第九床说。

“我想起来了，是内科的病人，头天晚上进来，一句话也没有讲过，第二天早晨就翘了辫子，”第八床接嘴说。他的眼睛朝着我的床，似乎在回想那一天的情景。

我打了一个冷噤。我没有想到，就在我入院的那一天，这个床上还躺着一个死人。内科的病人！他害的什么病？是传染病吗？可是我在这床上已经睡到第九天了。

一个灰色影子在我眼前一幌，老人的儿子匆匆地赶来了。他满头冒着汗，一直向着第二床奔去。他大概是办好了坟地的交涉回来向他父亲报告的罢。可是出现在他眼前的是白白的一张空床板。他脸色马上变了。他站在床前忘了自己地伸起两手抓着头发。

汪小姐慢慢地走了过来，带着同情的眼光看他。她正要开口，那儿子先说话了："汪小姐，是什么时候?"他放下手来。

"一点四十八分，"汪小姐低声答道。"抬到太平房去了。天气热，你早点安排后事吧。"

"是，"那儿子答了一个字，他眼圈红了。他脸上没有一点血色。眼睛也失了神，牙齿不住地咬着下嘴唇。过了两三分钟，他忽然觉察出他再没有理由在空床前面逗留，便猛然扭转身子，急急地走出去了。我以后就没有再看见他。

还不到一个钟头，这张空出来的床铺又被一个新病人占据了。这也是一个须发花白的老人，不过身材高大，病势不严重，疮口在背上。

"一个去，一个来，床铺永远空不了，倒是开医院生意好，"第八床躺在床上安闲地低声唱道。

没有人为那死去的父亲或活着的儿子叹一口气，流一滴泪。病室里再看不到任何表示那老人存在过的痕迹了。在这里死显得这样平常，这样不可怕，而且这样容易。

十二床这天八点多钟被带到手术室去。他是自己走去的。他去之前李小姐先给他剪去了左眼的睫毛，又给他打了一针，方小姐拿着牌子送他到那里去。十点钟光景，他被工人抬了回来。他昏昏沈沈地仰卧在担架上，好像还没有清醒。头上束着绷带，左眼完全缚住了，但血还不时地透过纱布浸出来。

小姐们忙着为这个病人整理床铺。郭大夫跟着来了，他在床前守了一会，又走了。他刚走出病室，十二床便发出第一声呻吟。这苦痛的声音好像是从梦中来的，多么空虚，他的余音长久地在我耳边荡漾。我应该明白它的意义，它对我是多么熟习。

“放警报啦!”第八床说，他吐出舌头，做出可笑的滑稽样子。他永远保持着安闲的态度，对什么事都觉得有趣，但对痛苦却漠不关心。医院生活似乎使他感到舒适。他好像只是为了好玩，才故意在头上竖起一只蝴蝶，而且一直把它保留到现在。他几次提过出院的话，却始终不见有出院的准备。郭大夫也从没有催过他出去。昨天我听见他同第九床讲笑话，他说：“我们两个倒是把医院当成旅馆在住啰!”第九床笑着回答他：“你比我更舒服，你还可以自由自在地跑来跑去。”

是的，他是自由自在的。他对别人的痛苦是不知道表示同情的。那天我开刀回来下午打盐水针的时候，我仿佛也听见他的笑声和他的风凉话。那时我真愿意能诅咒他！今天他那滑稽的样子又引起了我的反感。

十二床的呻吟开始了。以后一声一声接连着。是那么痛苦的声音。仿佛被宰割的牛羊的哀号。整个病室都被这声音充满了。连我整个脑子也被这声音充满了。我不能睡，不能用思想。我只有睁大一对眼睛朝四处看，想找一点事情来分我的心。

“小姐！小——姐！”十二床忽然叫道。汪小姐走了过来。她怜悯地望着他，柔声问道：“哪样？你痛吗？我给你打一针好不好？”

“枕头！枕头！太高！”十二床痛苦地叫着。

“好，我给你取掉一个罢，”她小心地从病人头下抽出了一个枕头。过后她再问一句：“现在好啦吧？”

十二床不作声了。他静了几分钟，才又呻吟起来。声音仍是那么凄惨，仿佛谁在抓他的心似的。汪小姐刚要走开，又被这叫声止住了。她站在床前，带了一点手脚失措的样子，她似乎不知道应该用什么方法来减轻病人的痛苦。她却默默地用右手的两根小指头挑她右边的发鬈。

但是郭大夫又来了。当郭大夫客气地招呼她的时候，她脸上紧张的肌肉松弛了，她仿佛得到了救星似的，浮出了一丝笑意。她听见第二床在喊“小姐”，便趁这机会离开了十二床。（第二床请汪小姐打电话催他儿子来，这事情我在前面已经记过了。）

“冯××，你痛吗？”郭大夫把头俯下去，温和地问道。他叫出了病人的名字，但我无法辨出是哪两个字音。

“我痛得要死！”十二床答道。

“你忍一下吧。过些时候就会好的，”郭大夫安慰他说。

“忍不住啊！”十二床绝望地叫道。“郭大夫，你给我想个办法啊！”

“你不要怕，我在这里，我会给你想办法。你不要着急啊。开刀后总不免有痛苦的，”郭大夫温和地说，不过我觉得他声音并不是平静的，里面似乎含了一点焦虑。我猜想：难道病人的情形很严重吗？

眼科的女大夫来了。她站在病床的右面，郭大夫吩咐她守着病人，他去拿了验血压器来给病人验血压，那结果似乎增加了他的焦虑。我看见他伸起右手轻轻地搔着前额，现出思索的样子。但这只是两三分钟的事。过后他俯下头去解病人头上的绷带，一面对女大夫说了两句话，女大夫到药橱那边去了。绷带解开后，他又把纱布揭起（女大夫拿了他需要的东西回来了），血淋淋的丢到吐痰杯里去，再把新的纱布换上，他用手指轻轻按住它。病人仍在呻吟，痛苦似乎并没有减轻，忽然叫着要喝水了。“快，快给他吃，”郭大夫抬起头朝站在对面的女大夫说。

“是，”女大夫低声应着，就顺手拿起矮柜上的茶壶，把壶嘴放到病人嘴边去。病人吞了两口水，便动一下头，说“不吃啰。”

“不要动！”郭大夫阻止道，这是在病人摇动头时说的（其实病人也只能微微地动一下头，或许只能够做一个动头的姿势）。过后他关心地问道："你现在好过一点吧?"他另外换了一张湿毛巾，放在病人的额上。

"难过啊!"十二床痛苦地回答着。

"不要紧，过一阵就会好的，你多忍一下罢，"郭大夫柔声劝慰说。他用英语跟女大夫交谈了几句话。女大夫走了。

"今天把郭大夫骇坏了，"第八床伸着头颈向十二床这面张望，他吐了吐舌头，仿佛觉得有趣地说。

"郭大夫总是这样小心。那次给我打了针，反应很大，一下就烧到一百零四度，把他也骇得不得了。他也是亲自守在我旁边，给我敷'冷敷'，给我喝水。等到后来我热度降低了，他才放心走开，"第九床接着解释道。

"怎么，你打'九一四'反应那样大?"第八床笑着问道。

"那次是第三针，浓度不同啰。一针比一针厉害。譬如上次打零点一五，下次便打零点三，这样加起来的，"第九床一翻身坐起来，双手抱着膝，不住地霎着眼睛说。

"你当初害眼睛的时候，你也想不到是这种病罢，"第八床说。

"我怎么会想得到！我连玩都没有玩过，说句良心话，我挨都没有挨过女人。不过郭大夫一检查就知道是那种病。起初我还不承认。后来郭大夫问起我父亲，我就没有话说了。我父亲在时倒是爱逛窑子。他得了病传给我了，说不定要害我一辈子，”第九床带了点苦恼地说。

“怎么说一辈子？你这次不是就可以医好吗？”第八床说，他的声音始终是轻快的声音。他邻人的苦恼并不会引起他的同情。在这苦痛的角落里，他那愉快的心境似乎从没有被什么事扰乱过。现在他嘴角又挂着得意的微笑了。

“他妈的，我受不了啊！”十二床忽然痛苦地叫起来，声音特别高，有点像哀号了。

“冯××，你再忍一下，过一阵就会好的，”郭大夫温和地说，他又换过一叠纱布了。他皱着眉，脸上罩着一股阴郁气。他也够辛苦了。

“我痛啊！我忍不住！郭大夫，你救救我！”十二床哀求地说，多么空虚，多么痛苦的声音。

“这是要痛的，你只有忍一阵。我在给你敷‘冷敷’。你不要怕痛。现在给你打一针好不好？”郭大夫俯下头轻声说。

“你给我止住痛，我实在忍不了啊！”

“Miss 李，请你去——”郭大夫下面的话被我耳朵滑过去了，我不知道他吩咐李小姐做什么事（李小姐是在女大夫走后过来的），我只看见李小姐走到药橱那边去。过了一些时候她拿着药针来了。她在十二床的膀子上打了针。

“打过针，你会觉得好一点。慢慢地你就会觉得不痛的，”郭大夫说。他的话刚说完，昨晚来过的十二床的朋友来了，还有一个长头发的年青女人跟在他后面。

这朋友带着兴奋的脸色急匆匆地走进来。可是他一看见病人的面孔，大夫的脸色，和周围的情形，他吃了一惊，站在床脚边，半晌才问出一句话：“医官，他不要紧吗？”

“不要紧，过了今天就会好的，”郭大夫答道。

“冯××，冯××，”那女人挤上来，大声叫道，她把李小姐的身子稍稍碰了一下。

“不要大声喊，让他安静一下，”郭大夫抬起头，略带警告地说。

“这是他屋里人，才赶到的，”朋友在旁边解释道。

“冯××，冯××，我来啦！”女人放低声音，又唤了一遍。

“啊，我看不见。我跟××说叫你不要来，我有朋友照料……啊，他妈的，我痛得要死！”十二床断断续续地呻吟道，他伸起右手在空中摸索了一下，好像要抓到他妻子的手一样，但马上又力竭似地垂下去了。

“我原先也说不来，后来碰到有便车，就赶来啦！

你不要紧罢?"女人说，她的声音又提高了些，她眼睛已经包了一腔泪水。这是一个相貌极普通的女人：长长脸，微黑的脸膛，嘴包不住上牙，靠近门牙的右边两颗牙齿是假的，发着灿烂的金光。

"我不晓得，……哎哟!"病人痛苦地叫一声，他的胸膛稍微往上挺一下，过后又睡平了，他那声惨痛的叫喊有着很长、很长的余音，整个病室的空气都被它搅得成为悲愁的了。

"不要再跟他讲话，"郭大夫责备那女人说。

"他眼睛还在流血，不要紧罢，"女人稍停一下，又放低语声问道。

"要他安静睡着，不要说话，不要动，血才可以止住。你们再讲话，我就没有办法了，"郭大夫焦急地说，他似乎要动气，而又勉强忍住了。

"冯嫂嫂，你不要再说了，让他多休息一阵罢，"朋友在旁边劝道。

"我不说啰。不过我听不得他叫喊，我心里过不得……"女人回答说，她一面埋着头揩眼泪，过后又抬起脸来对着郭大夫，问道："医官，他眼睛会不会瞎?他以后还能不能开车子?"

"不会瞎，右眼保得住的，不过安好假眼睛，车子倒是不能开了，"郭大夫皱着眉头回答了她的问话。

"我接到他的信，只说他左眼有点毛病，怎么晓得他会病到这样，眼睛挖得血淋淋，……多可怕，亏他受得住……。医官，你救救他啊！”女人仍然不闭口，不管郭大夫怎样表示不要她多讲话，她还是哭哭涕涕伤心地信口讲下去。

郭大夫脸上的肌肉痛苦地搐动着，他短短地回答了一句：“不要紧的，”他的忍耐的限度达到了。他并不看她，却向着那个朋友说：“请你把这位太太带出去，找个地方给她休息一下。我怕她受不了。并且对病人也不好。”他说完，就把头俯下去，拿起贴在病人头上的湿毛巾来。

那朋友果真把病人的妻子带出去了。李小姐转过头目送着他们的背影，郭大夫抬起头如释重负地吐了一口气。我也跟着他吐一口气，好像我走过了长途后，得到片刻的休息似的。

病人的呻吟并未停止过，但他的声音渐渐地小下去了。我注意到郭大夫皱拢的眉尖也慢慢地舒展了。到了刘小姐来代替李小姐的时候，我听见李小姐对郭大夫说：“郭大夫，你也该休息了，你还没有吃午饭啊。”

“我不饿，”郭大夫笑答道，他那个蹋鼻头显得非常可爱起来。

“郭大夫，我们会好好看护他的，你放心罢，”刘小姐笑着说。这个难得笑的女孩居然和善地笑了。

郭大夫迟疑了一会，过后说：“好的，我等一阵再来。”他踏着稳重的步子走了。

第二床新病人来的时候，杨大夫也来了。这又是她的病人。我看见她忍耐地给他上完了药。她洗过手到新十一床前讲了几句话后，便走到我这里来。

“杨大夫，你忙啊！”我说。

“还好，”她笑答道。“你今天没有什么不舒服罢，我看你脸色不大好。”她现出关心的样子。

“没有什么不舒服，不过看见那些病人的事情，我心里烦，”我诉苦般地说。

“是不是你看见那个老先生死了，心里难过？”她微微蹙着额低声问道。

“我觉得我好像在地狱里面，我尽看见挖目拔舌的事情，”我烦恼地说，对她，我已养成了信口说话的习惯。

我看见她眼睛忽然亮一下，马上又黯淡了。她略略低下头说：“其实我应该比你更难过。你是没有责任的。我倒有责任。”

“这不怪你啊，我觉得你是尽了力量的，”我说。

“尽了力量，你不晓得我有什么力量啊！我有时真想改行做别的事，我真后悔学了医，”她声音低，但里面充满了苦恼，这苦恼似乎并不深，可是它使我脊梁上起了寒栗了。怎么，像杨大夫这样的人也会有苦恼啊？

“为什么？做大夫不是很好吗？这是救人救世的事啊！”我惊讶地说。

“你完全是小孩子想法！”她带了一个苦笑摇摇头说。“就是我学医学到了天大的本领，也不见得便能够救人。我敌不过金钱。没有钱的人得不到我的好处。就譬如第二床，要是他儿子有钱，他也许不会死。要用药没有钱买药，连营养的东西也吃不起，这样敷衍地对付过去，我等于在杀人。……”

“其实医院里应该供给药品，”我插嘴说。

“医院里只有普通的几样药。你不晓得医院多穷，不然也不会一个病房住二十四个人，而且连内科传染病人也可以挤进外科病房来，”说到这里，她忽然改变过语调，低声说：“你要当心啊，你隔壁就是个传染病人。还有第三床也是的。这个办法真不好。我要催着内科早点搬过去。这个人也很可怜，膀子还没有接好，又染到了斑疹伤寒……”

我感激她的关心。而且更使我感动的是我接触了她的广大的心。我以前多么不了解她，我还以为她是一个无忧无虑的乐天派。

“杨大夫，今天战事消息怎样？”我停了半晌，忽然想起一件事，便问道。

她呆了一下，过后又微笑了（这笑容是很勉强的）。她说：“你不要管什么战事消息，你好好养病罢。我后天就要给你抽线了。”

“那么，我什么时候可以出院？”我听到抽线的话，心里高兴起来。

“这个月月半就可以。你要多住两天也行，”她答道。

“医官！医官！”第六床用沙哑的声调叫道。他把杨大夫的话打断了。

杨大夫惊讶地转过头去问什么事。

“他们怎么不给我吃药啦！医官，是不是我今天要死啦？”第六床粗声问道，他的眼光停滞地定在杨大夫脸上，那对眼睛似乎不能够灵活地转动了。

“他们就会给你药吃的，你不要着急嘛，”杨大夫答道。她又问我：“今天内科大夫来看过他没有？”

“来看过两次，”我答道。

“那么怎么还不给他吃药？”杨大夫纳闷地自语道。

好像回答她的话似的，胡小姐跑过来了。这个胖脸的女孩气咻咻地说：“第六床，拿钱来！给你买药。没有钱吗？”

“有钱，”第六床爽快地答道，他伸手在枕头下面摸了半晌，拿出一叠被手帕包着的钞票来，递给胡小姐。

“你还有没有？就只有这一点吗？”胡小姐数了钞票后着急地问。

“没有啰，”第六床瞪着眼回答。

“不行。买药要一千多块钱。你才只四百七十块钱，不够，”胡小姐失望地说。

“你通知他的保人，叫他们送点钱来罢，他总有朋友啊，”杨大夫插嘴说。

“我们查过了，他的保人住在××坡，有三四十里路。刚才寄了信去。不过今天来不及了。现在有人进城，本来可以顺便买回来的。这样至少又要耽搁一天，”胡小姐说。

“这没有办法。做大夫没有药，比什么都苦，”杨大夫摇摇头叹息地说。

“那么只好明天再说了，”胡小姐说着，就把钞票交还给病人。“好，钱在这里，你收起来罢。”她走了。

“你看，又是这样的事情，”杨大夫转过身来，望着我诉苦般地说。她眼里射出一股忧郁的光，那是我以前没有见到过的，它现在烧灼着我的心。不知为了什么缘故，她的苦恼传染给我了。我怎么能够安慰她呢？但是我看见她默默地含愁望着窗外树梢的情景，我的心逼着我说出话来：

“杨大夫，你也不应该灰心啊。至少我得过你的好处，你使我的心得了温暖，我怕我说不好，医病也不单靠用药，你还医治我的心……”我自己很感动，我说得很吃力，我觉得我眼泪快淌出来了。我不敢看她。

“可是你的胆囊并没有拿掉啊。你不抱怨我们吗？”

杨大夫故意带笑地打断我的话。

“现在就是死在这里，我也没有怨言了……” 我声音颤动地说。

“你这是什么意思，你不是在挖苦我们吗?” 杨大夫又打岔说。

“不是，我也许没有能力说得明白。我进医院以前，除掉自己外，对什么也不相信，我总以为人是为自己的利益而生活。现在我才知道，人的心并不全是这样窄小的。在这个充满痛苦的地方，也有人在努力帮忙别人减轻痛苦。至少，你杨大夫就是一个。不管我的胆囊有没有拿掉，至少我的心得到了启发。我对你是一个陌生的人，我走出医院也许永远不能跟你见面，可是你对我的关心使我的心得到了温暖。这不是用什么利益换得来的，我能还给你什么报酬呢?” 我觉得很窘，我相信自己没有说得明白，我的脸发烧了。“我怕我说得不清楚，我不会讲话。我的意思是，在这里你不把我看成一架待修理的机器，你把我看作一个人，一个朋友，一个兄弟一样的人，我那发病的心得到多大的安慰……。”

“不许说了！我要以大夫的资格禁止你再说下去!” 她以长姊的态度阻止我说话，她把头朝后一仰，一缕浓发掠过耳畔搭到脑后去，她感动地微笑了，却又勉强制止着这个笑容。“在医院里别人都笑我，称我做哲学家，就因为我爱跟病人讲话。你现在倒真是哲学家了。话讲多了，对你身体其实很不相宜。……啊，我问你，十一床我那个病人马上就要出院了，你要不要搬过那边去?我等会叫人连你床板一齐搬，不会震动你伤口。我有点担心你会传染到那个病。”

我为这个感激她。但我不愿再麻烦她，我说：“不要紧，不搬也可以。我当心点就是啰。”

她想了想，说：“也好”。她走了。

我枕头边还放着那一包饼干，我马上把它塞在方柜下面去。

老郑倒过便壶不久，第六床又在叫着“老郑”，说小便壶满了。

“这是紧急警报了!”第八床笑嘻嘻地自语道。没有人理他，也没有人理第六床。看护小姐们正忙着。十二床半昏迷地继续在呻吟。对面一角里那个锯了两只脚的小孩得了内病，今天没有放警报了。那个十六七岁的小孩每天上午换药的时候总要“妈呀妈呀”哭叫一阵，第八床称这为“昆明警报”，说是他从前在昆明的时候，有一个时期里，每天一到那个时间就要放警报，一连半个多月，没有错过一回。但这也是他信口讲出的话，我无法知道它是真是假。不过今天下午那可怜的孩子似乎病得厉害，胖胖的林大夫到那边去过三次（他同第六床一样，也是林大夫的病人），内科的大夫也去过好几个，看护小姐们也慌慌张张地朝那边跑。

老郑的影子始终看不见。第六床脸都挣红了，他停了一下又叫，叫了两声又停，后来他的叫声变成呻唤了。他掉过眼光来看我，好像在说："救救我吧！"可是我连动都不能动，怎么能够给他帮忙呢？我看见刘小姐还站在十二床跟前，便大声喊着："刘小姐！"

"哪样？"刘小姐转过头来问道。

"第六床要老郑来倒小便壶，"我大声说。

"老郑岂有此理，不晓得跑到哪里去了！我又走不开，你们哪位帮他喊一声罢，"刘小姐皱着双眉说，她的眼光朝四处看了看，到了第八床脸上便停止了。她的意思不说出来，别人也能知道的。

"是要我罢，我晓得！"第八床轻轻一跳，下了床来，望着刘小姐滑稽地笑了笑。扎了扎裤带，然后笑嬉嬉地对第六床说："不要喊啦！我去给你找老郑来。看你忍着小便也可怜得很，不晓得是哪辈子作的孽！"他低声哼着京调，跳跳蹦蹦地走出去了。

过了片刻第八床笑着走了回来。他走到第六床旁边，大声说："老郑不在，找不到。"

"哎哟！"第六床忽然痛苦地叫了一声，泪水迸出他的眼腔来了。他脸上肌肉厉害地搐动着。

"不要哭啦，我给你拿去倒就是啰，"第八床带着嘲笑的样子说，他真的拿起那只满满的便壶来，故意用左手捏住鼻子，做出小心翼翼的滑稽脸相走出去了。不一会他便拿了空便壶回来，递到第六床的手里，还说一句："你要吧？"他把脸皱缩在一起地笑了。

"谢谢你啊，"第六床抓住便壶柄，同时哭笑地说。他马上把便壶放进被里去了。等一下他拿出它来放到凳上时，我听见他在咕噜着："又满了半壶啊！"

不久老郑提着铜壶来冲水了。第八床看见他便叫起来："老郑，你到哪里去了？刚才到处找你都找不到！"

"找我做什么啊？"老郑冷冷地问道。

"找你给第六床倒小便壶。还是我替你拿去倒的，"第八床得意地笑道。

"管它的！哪个喊他要两壶两壶地吃水！我没有空。一个月那点点工钱买不了我的命！"他又发起牢骚来了，他的脸绷得很难看，眼白仍旧布了几根红丝，两眼带了点痛苦样子不停地霎着。

傍晚的时候第六床又在叫"老郑"倒便壶了。他的沙哑的声音并没有引起人们的注意。看护小姐站在条桌前，听不见他的叫喊。第八床躺在床上笑着自语道："恐怕又要我去倒小便壶了。"

"那么我的也请你顺便倒一下，"第九床开玩笑地说。

"只要医院里给我发工钱，我一定去倒，"第八床扑嗤笑起来。

第六床仍旧含糊地叫着，他急得额上冒出一颗一颗的汗。他那一脸的苦相使我心里难过，我看见胡小姐站在条桌前，便大声叫着："胡小姐，"我只叫了两声，她就过来了，我说："第六床请你去喊老郑来倒便壶。"

她出去好一阵才回来。"老郑找不到，你等一下罢，"她对第六床这样说。

"哎呀！"第六床苦痛地把脸向左右两边摆了两摆，低声吐出了两个字。

胡小姐马上忘记了这一个人的痛苦。她到十二床旁边去了。那个病人从四点钟开晚饭的时候起就没有发过呻唤，他好像昏昏沉沉地睡着了。刚才郭大夫还来看过一次，郭大夫穿一身蓝布中山服，拿着一把油纸伞，仿佛要进城去似的，看见病人睡得熟，便吩咐了胡小姐几句，放心地走了。病人的妻子和朋友是在吃晚饭以前回来的，他们就一直留在床边。胡小姐给那女人拿来一个凳子，让她安静地坐着守护她丈夫。现在胡小姐又去跟那女人讲话。这个女孩像大人似地在安慰那病人的妻子。

第六床忽然又叫起来："老郑！老郑！快！"他这声音与其说是叫给别人听，倒不如说是给他自己听的。他叫了四五声，都没有用。我只得又请胡小姐过来。

"老郑不晓得跑到哪里去了！真急死人！"胡小姐抱怨说。她带着焦急的神情又往外面走了。

"其实小姐也可以倒小便壶，何必拿架子啊！"第八床在一边嘲讽地说。

胡小姐去了好一阵都没有消息，第六床断续地发出唱歌似的低声呻吟。我心里很烦躁。他的痛苦似乎传染给我了。我不能忍耐地渴盼着老郑进来……

我看见一个熟习的黑影从外面闪进来。“老郑来了!”我仿佛听见一个快乐的声音在我肚内说。我定睛一看，却是老许端面进来了。他把面碗递给第九床以后，便在十一床空床板上坐下，同第九床，第八床两人谈着闲话。

“老许，老许!”我忽然灵机一动（我用了这句成语），朝着那方向叫起来。老许果然走过来了。

“你要叫面吗？大卤面没有啰，吃碗炸酱面罢，”老许笑着说。

“不是，我就要睡了。我请你做一件事：你把第六床的小便壶拿去倒一下好不好？看他胀得可怜。喊也喊不出声音来，”我恳切地要求他。

“老郑哪？”他问道，我想他大概要推脱罢。

“喊了大半天都喊不到，不晓得跑到哪里去了!”我扫兴地答道。

“那我就去一趟。”他弯下身子拿了便壶在手里。“好臭啊，”他厌恶地说，但他终于拿到厕所里去倒了。

胡小姐一个人回来，一句话也不讲，她气冲冲地坐在条桌前写字。老许笑嘻嘻地提了便壶进来。

“老许，你什么时候给老郑当替工的?”第八床笑问道。

“第五床陆先生喊我帮忙倒的，”老许笑答道；“这个差使我干不好。”他把小便壶放回到原处。

“老许，谢谢你啊，”第六床感激万分地说，他马上伸手去抓便壶，用力猛，手碰着凳子，把便壶撞到地下了。一阵金属落在土地上的空虚的响声。

“啊呀!”他绝望地叫了一声。第八床和胡小姐都跑过来了。老许默默地弯下腰去拾起便壶，放到床上病人的右手可以拿到的地方。

“老许，你救了我啦!”第六床接连说着。老许默默地把两只手在围腰上面用力地擦。

“第六床的药买来没有?”扁脸的王大夫进来问胡小姐道。他已经来过两次了。

“没有。奇怪，他的朋友今天下午一个也不来!”胡小姐正坐着便站起来答道。

“药买不来怎么办?信发出去吗?”王大夫皱着眉说。

“发出去了，明天总会有人来的，”胡小姐说。

“那么现在先给他打六瓶盐水针再说。请你准备一下，”王大夫想了片刻，然后用决断的声音说。

“好的，”胡小姐应道。她同王大夫一路走了出去。

天已经黑尽，条桌前电灯光非常亮。刘小姐似乎在对面一角照料那个断脚的孩子。病室忽然现得空阔起来。没有大的声音。平日不讲话的第四床放下帐子睡了。我为了避免蚊子的骚扰，点起两支蚊香。（这是我昨天叫老郑在合作社买来的，点燃后平放在左右两边两个矮柜上，让半截香贴着柜面，用茶壶压住香棍，然后慢慢向前推移。一晚上点过这两支便够了。即使不够，我睡着了，也不觉得什么了。）蚊香的刺激的气味使我的心好像被什么东西搔着似地觉得不舒服。我不能安静地闭上眼睛。而且第六床的受苦而固执的脸孔老是摆在我眼前，对这个人的命运我是不能漠然不关心的。

王大夫来打盐水针的时候，他揭开第六床的盖被，一股尿臭直扑进我鼻孔来，这气味比蚊香的气味更强，更刺鼻！

“怎么你连小便也不晓得！弄得这样脏！”王大夫责备地说。

第六床瞪着眼答不出话来。我忍不住，我代他说了：“他小便壶满了，没有人给他倒，看他胀得也很苦。喊工人，总喊不来。”

“喊不来工人，你找看护小姐呀，总不该在床上小便啊！”王大夫仍旧不肯原谅他。

“看护小姐，哼！说得好，未必小姐还给你倒夜壶！”第八床在旁边冷笑地说。

王大夫似乎没有听见他的话，正埋着头把那长长的针插进第六床的大腿里去。

“等着吧，马上就要放警报了，”第八床幸灾乐祸似地说。

“你真是——人家吃苦，你倒快活。我希望你哪天也打打盐水针，”第九床带笑骂道。

第八床拱一拱手，笑答道：“对不起，我过两天就要出院啰，恕不奉陪了。”

把第六床腿上插针处贴好胶布，盖好被单后，王大夫和胡小姐都走了，让第六床慢慢地去享受六瓶盐水针的滋味。

第六床静静地躺在床上，身子没有动过一下，也不曾发出一点声音，要不是他睁着眼睛，我倒以为他沈睡了，水走得相当慢，过了好一阵，林小姐上班了，大瓶里的水少去还不过三分之一。可是第六床忽然像从长梦中醒过来似地现出精神来，大声说：“我到了哪里啦？”

我吃了一惊，掉过脸去看他。他好像看不见我似的，他两眼直视着前面，我不知道他在看什么。“怎么没有看见桥啦？”他严肃地说。“这不是五里桥那座塔吗？还有那棵乌桕树？船还不靠岸？到啦，到啦！上岸啦！……怎么不看见我老母亲啦？我回来啦！朱云标回来啦！……喂，你拉着我干什么？走开，走开！”他把脸掉向左边，用力去拉左膀上的绷带，他一边骂，一边疯狂地抓着，扯着，绷带被他拉开了一段，手上流着血，好像是他的手抓烂的。

“不要抓呀！不要抓呀！”我吃惊地叫起来。

他掉过头来看我，好像不认识我似的，一张脸古怪地红着，眼里射出茫然的，近乎疯狂的眼光。“不要抓？他拉住我，不让我回家！”他又把脸掉向那面去：“滚开！不要拉我！让我上岸！到啦，到啦！”

“你不要抓！抓破就不得了啊！”我着急地干涉道。

“不要抓？”他又转过脸冷冷地问道。

“你把绷带抓掉，手就不得好啦！”我瞪着眼做出威吓的样子说。

“好，不管它，”他好像下了决心似地说；“那么我拿掉这个，”他说着就伸手去揭盖被。

“喂，动不得！”我惊叫道；“林小姐，快来，快来！”

上班不久的林小姐即刻走过来了。

“林小姐，他要把针拔起来，绷带也给他拉开了！”我着急地大声说。

“它挡住我的路，我要拿开它，”他望着林小姐解释说。

“你不能动手，你把针弄断了，开起刀来够麻烦的，”林小姐正色地说。“你看你把膀子弄得血淋淋的，这怎么哪？”连温和的林小姐也蹙额了。

“只有找人来把他右手绑起才行，”第八床提议道。

“好的。我去找老李来，那么请你照料一下，不要他真的把针弄断啊，”林小姐回头对第八床说。

“我会照料的，”第八床笑着答应了。他走到第六床跟前来。“同志，你到哪里去呀？”他故意问道。

第六床果然把手缩回来，他看了看第八床头上的白蝴蝶，正经地答道：“我回家。同志，你带了伤吗？”

“是啊，头都快打破啰。你回家做什么啦？”第八床忍住笑说。

“老沈，你倒装得像啊，”第九床开玩笑地插嘴说。第八床没有理他。

“看我老母亲嘛。我这趟回去，要跟着我姐夫做生意，不出来啰，”第六床正经地回答。

“你母亲多大年纪？身体好吗？”第八床又问。

第六床做了一个手势，答道：“五十八啊，她精神好得很。走几十百里路，一点也不在乎。她只有我一个独子。她不放我出来，是我定规要走的……”

林小姐带着老郑来了。老郑拿着一幅旧床单，卷成了一根粗带子，走到第六床跟我的床的中间，不由分说就拿起第六床的右手，用带子套住手腕，套得紧紧的，他边套边说：“朱先生，这只手拴住舒服点。”他把那只手放平，又把带子系到下面板凳脚上去，他把带子扎得很紧。

“你绑紧点啊，”第八床嘱咐道。

“不会脱的。我绑人还绑得少了！力气再大的人我也绑过!”老郑粗声答道。

第六床起初一句话也不讲，就让老郑绑着，等到老郑说出上面的话以后，他忽然摇摇头叹口气说：“唉，这又何必哪！大家都是中国人。客气点啊!”

“客气点，现在还不客气吗?”老郑试了一下知道绑得很牢以后，便站直身子，得意地哂笑道。第八床吃吃地笑起来。

第六床也不叫，也不挣扎，只是板起脸孔默默地想了一会（他好像是在想什么似的）。我不敢多看他：一方面他的痛苦使我心里很难过，另一方面我又害怕他会突然发狂。可是他忽然大声叫起来：“老陆，……陆同志……陆同志!”

他那眼光使人害怕，我不敢正面对着他，却只偷偷地看了他一眼。

“陆先生，我晓得喊陆先生你才答应，”他一本正经地望着我这面说。“兄弟是个粗人，近来常常承陆先生关照，兄弟也非常感激，兄弟有得罪陆先生的地方，还请陆先生原谅，原谅。陆先生，你何必不理我啊，兄弟读书少，学问不够，有不对的地方也请陆先生指教。”

我虽然有点害怕，但我差一点要笑出声来了，我连忙忍住，板起脸对他说：“不要吵，别人要睡觉，有话明天讲。”

他摇一下头，做出不以为然的样子说：“何必等到明天哪，今天我有灾难，你陆先生不来救我？我受够他们的欺负啦！我要走啦！”

“我要睡觉啰，明天说罢，”我做出厌烦的样子说道。

“陆先生，兄弟有许多事情不明白，要请陆先生指教。兄弟并没有犯罪，为什么要把我的手绑住；我要回家看我老娘，船怎么不靠岸啦？”他一字一字很清晰地说，脸色红中带黑，眼光强而又似乎笼着一种网似的东西。虽然他在看我，可是我疑惑他看见的也许不是我现在这个样子。这么一想，我更加害怕起来。我便掉过脸去不理他了。

“陆先生，你不要生气啊，我给你陪罪罢，”第六床还在那里说话。“好，大家都不理我啦，我走啰！船就开啰！各位，再见啊！”

“再见啊！”第八床接嘴说，我听见他吃吃地在笑，又听见第九床在抱怨他不该老是跟那病人开玩笑。

“再见啰！”第六床又说。“真岂有此理，手也绑住了。”

林小姐走过来，把两瓶盐水倒进挂着的玻璃瓶里去。

“这位漂亮的小姐来做什么啦？她不是我家乡的人啊！她姓啥，你晓得吗？”第六床不停地说。这次我真想笑了。林小姐自然没有理他。

这以后他安静了几分钟。过后又叫起来：“你们拿我关牢监啊！放我走！我要回去！啊哟！……我一定回去，你们留不住！哎呀！……啊哟！娘呀！我受不住了呵！”他拉长声音像唱小调似地唱起来了。“我难过呀，娘呀！……你在哪里哟！……你有儿不能见面呀！……我有娘难相见呀！……老母望儿儿不转，妻子望夫夫不还……露从今夜白，月是故乡明，有弟皆分散，无家问死生……”他用同样的调子唱过京调和唐诗以后，居然呜呜地哭了起来。哭了一会，又唱起《孟姜女》的小曲来。

病室里的人，谁也无法制止他，就索性让他一个人吵去。他起初还挣扎着，想把被绑住的右手拉出来，后来看见没有用，也就放弃了这个企图，只顾哼着，唱着，哭着，一直到针打完，林小姐把针拔出来，又把绑住他右手的带子放松些，使他除了拉解左手的绷带外，便可以自由地使用右手，他才安静地睡了。其实他是不是睡去，还是疑问，不过我倒睡熟了，听不见他的声音了。

# 第八章　六月十日（星期六）

今天我醒得比较晚，我记得老李喊过我三次。等我用手揉了眼睛把睡意赶走以后，天才开始发白。林小姐站在我床边，背向着我，正在给第六床揩脸，揩过脸，林小姐把脸帕绞干，挂在矮柜旁边钉的架上，然后弯下身去把便壶拿在手里，朝床下一个大便盆里倒进去（我后来才知道这大便盆是林小姐昨天半夜里拿来的），倒过后，又把便壶放回原处。她端起脸盆正预备走了，第六床红着脸，用力地说了一句话。

“哪样?”林小姐不知道他说什么便问道。

“他说，你是他救命的恩人，”我替他翻译道。今天他似乎神志清醒了。

林小姐微微一笑，她露出害羞的样子，这句话使她相当高兴。

我洗过脸，觉得精神很爽快，伤口完全不痛了。茶壶里昨夜的凉水进到口里，非常可口。窗外天大亮了，光线多么可爱，麻雀吱吱喳喳快活地吵个不停，而且穿梭似地在病室里飞舞。不管我这周围有着怎样多的痛苦，今天，在这早晨，我觉得很高兴，在我这并不强健的身体里，我感觉到充实的生命力。

早饭开来时，我居然喝了两碗稀饭。第六床什么也没有吃。他板着脸，带着沈思的样子，一直不讲话，只有在老张来扫地，把大便盆给他拿走时，他才烦躁地说："又拿走哪！真是天晓得！"这以后他又沈默了。

听说对面那个断脚小孩的病势已经减轻了。十二床的情形也好了许多。他妻子昨夜走得迟，今天一早就来了。

看护小姐来铺床时，她们有说有笑地从外面进来。今天似乎大家都很高兴。刚铺好床，她们立在条桌四周讲闲话，忽然一个东西从梁上落下来。李小姐即刻孩子似地扑过去，胡小姐和张小姐也跑到她身边。

"又是一个！"第八床笑着说。我不知道他在指什么。可是我看见李小姐立起来，摊开右手，手掌心里有一个幼鸟似的东西，她满脸含笑地望着它。小姐们都挤到她身边来看。"快！快！Miss 胡，拿个盒子来！"李小姐说。胡小姐跑到药橱那里去了，但马上就拿了一个放药的小小方盒子回来，她打开它，急急地说："放进来，快点！"李小姐把幼鸟放到盒子里去了。"这个归我，"李小姐笑道。"那么你给它起个名字，"张小姐说。"它叫，它叫！琳黛，”李小姐得意地说。“琳黛，”众人小鸟似地笑起来。

“你们在笑什么？”杨大夫同汪小姐从外面进来，杨大夫温和地问道。小姐们不回答，却笑着散开了。李小姐珍惜地捧着盒子到杨大夫面前说：“杨大夫，你看，我们的小琳黛。”

杨大夫俯着头用右手第二根手指在盒子里拨弄了一下，笑着说：“你好好地养着罢，这个黄嘴巴倒引人爱。”李小姐放上盒盖兴高彩烈地跑出门去了。她跑得急，差一点碰到男看护周先生的身上。“当心啊！”周先生大声警告道。他两手正提着一个类似大铜炊壶的铜器具（我在厨房里看见过，全身擦得亮幌幌的），气咻咻地从外面进来，吃力地提到药橱前，在柜面上放下了。

杨大夫给她的病人们上好药以后，便走到我床前来。她照例先对我亲切地笑笑，接着就问：“今天怎么样？好吗？”

“今天更好了，”我愉快地回答。

“不错，我看你脸色好了些，”她满意地说。她把眼光稍稍掉向第六床，放低声音问：“他怎么样？是不是好一点？”

“好像好一点，今天不吵了，”我回答。

“你还是不想搬？”她问时，看一下十一床的空床板。

我摇摇头，答道：“我想就在这张床算啰。”

“也好，横顺第六床明天就可以搬开的，我刚才还到第二病室去看过。啊，你唐诗念完没有？”

“读完啰，我还给你罢，”我说着就伸手到枕头下去拿书。这本书我开刀后就没有挨过，她不提，我差一点要忘记它了。

“现在不要还我，等你出院的时候再还我罢，”她挥着手阻止我拿书。“你留着，闷的时候还可以念一两遍。明后天我再找几本书给你看。”

我不拿书了，我缩回手来，望着她那亲切和善的面容，我想起了那一个我时常想起又时常忘记的问题，我便问她：“杨大夫，战事究竟怎么样？”

“欧洲打得很好，”她短短地回答。

“湘北哪？”我又问。

“不要管它。消息乱得很。你再过一星期就可以出院啰。那时候你什么都会知道的，”她改变了声调回答，我看见一片灰黑云飞过她的脸，我知道那方面的战事大概打得不大好。我怕触动她的愁思，便不敢追问下去。

“不要紧，没有什么特别坏的消息，你不要耽心，我后天要给你抽线啊！”她把头往后一仰，勉强微笑着安慰我道，过后迈着大步走向药橱，周先生正在那里把一件一件上药的用具从大铜器中取出来。她笑着同他讲了几句话。

过一会大夫们来查病房时，杨大夫也在内，他们经过我的病床，冯大夫照例对我点头笑一笑，然后又同杨大夫讲两三句英语，就过去了。每天早晚查病房时杨大夫不常跟我讲话，而且她总是带着受拘束的神气。他们在第四床旁边停留的时间多一点。我听见那个病人在向廖大夫要求允许他当天出院，廖大夫答应了他。我奇怪，他开刀后还没有下过床，为什么就忙着出院。所以大夫们一走开，我便问他（虽然，在我开刀以后，他难得同我讲话，而且每天午饭前，他太太便给他送菜来，她在他床边一直坐到晚饭后，两人不断地喁喁私语，我不知道他们哪里有那么多的话讲！）：

“怎么，你今天就要出院啦？为什么不多住几天？”

“我住不惯，并且我害怕得传染病，还是自己家里舒服些，”他先摇摇头，过后他清瘦的脸上浮出一种夸耀、满足的微笑。

我并不羡慕他。可是他的话使我感到一种莫名的怅惘。其实“莫名的”这个形容词用在这里也不大恰当。我知道我为什么心里不痛快。我不但没有“家”，也没有一个关心我的人。至于我那个音信断绝，远在沦陷区的父亲，他是不是还认我这个儿子？

第四床不会知道我这心情，而且我想，他这时除了等候他太太来接他以外，什么事都不会注意到了。他太太自然不会让他久等的，到了她往天来的那个时刻，她果然来了。不过今天她还带了两个工人和一付床板来。后来就用这床板把她丈夫抬了出去。于是我右手边又多了一张空床了。

为着第六床的事情，扁脸王大夫今天来过三次了。每次他都是扫兴地离开的。但是下午两点多钟，他第四次来的时候，站在药橱前面的胡小姐不等他开口，便摇着头先说："还是没有人来过。"

"这怎么办？难道就这样看着病人死掉吗？"王大夫脸色发青气恼地说。可是他并不退出病室，却直接到第六床跟前去。

"你城里有什么朋友吗？"王大夫怀着希望地问道。

第六床用茫然的眼光望着王大夫，动了一下嘴，却不曾说出一句话。他为着小便壶的事刚才还吵过将近一点钟的长时间（还是照样的那一幕悲喜剧，不同的是，他实在胀得没有办法了，后来空便壶给他拿回来时，他把它拿到床上，掀开盖被，并不把便壶放好就胡乱地小便起来。他身子下从昨天起就垫了一幅油布，尿完全淌在油布上面了。第八床高兴地笑着，并且故意叫了胡小姐来看。胡小姐生气地教训病人几句，把油布抽走了，过一会又给他换一条来），现在或许疲倦了不想出声也未可知。

"你懂不懂我的话？"王大夫俯下头大声再问一句。

病人默默地摇摇头，人不知道他这是表示什么。王大夫失望地转过身子，正看见两个穿蓝布工服的人仓皇地朝第六床走来。

“你们来看朱云标的吗？”王大夫拦住这两个人问道。

“是的，”两人中的一个回答。

“那么你们快去给他把药买来，药方就在护士长那里，”王大夫兴奋地说，他把两个人拉到条桌前面去了。

两人从汪小姐那里拿到药单以后，又匆匆地走到第六床跟前来。他们站在床前，关心地望着第六床。两人间低声交换了几句话。

“你们来做什么啊？”第六床忽然转过头问两人道。

这一问使两人都楞住了，他们不知道应该怎样回答他。

“你们来搭船吗？不要来啊！装不下啦！你们先回去罢！”第六床正正经经地大声嘱咐道。

两人含糊答应着，说不出一句清晰的话，脸上现出了窘态。

“你们好好回去，不要站在这里啊！”第六床继续大声说。

我忍不住了，我对那两个莫明其妙地站在床前的人解释：“他发烧发了几天，脑子糊涂了。你们快点去给他买药罢。”

两人去了后，一直没有消息。王大夫每隔半点钟就来看一次。而且在三点半钟的光景，他又给第六床打过一次盐水针。病人的忍受力似乎比昨天差多了。盐水刚刚走了一点点，他就呜呜地哭起来了。哭了一阵又唱小调，唱够了小调又哭。他不但常常拉解左膀的绷带，他还把盖被揭起，让光赤的下身露出，人来给他盖上被，他立刻又掀开，并且像顽皮的小孩似地捏着生殖器朝各处小便。他这些举动引起了同室病人的笑声和看护小姐的责斥。他的一个朋友，就是上次送了饼干来的那人，恰恰在这时来了，看见这情形，只站了一下，就逃走了。"这个人来干什么？一句话也不讲，就走啰，岂有此理！"他望着我骂那个人道。他右手仍旧不停地动着。

最后还是老郑来解决了一切，老郑又把那只手牢牢地绑住了，似乎比昨天绑得更牢，绑的时候，他神色自如地（不过带了一点憎恨，我看得出来）说："要上法场吗？客气一点好不好？我认得你，你是我的仇人，二十年以后我会来报仇。"老郑得意地笑答道："好罢，我等着你！"说着便加了一把力，我看第六床被绑得连要挣扎也没有办法了。在这两个人中间似乎有着深的仇恨存在着，听那两句对话，看那两人的神气，都是这样。这究竟是为着什么呢？……我愈想愈觉得奇怪了。

打完针后，胡小姐来搬开了架子，说是害怕第六床再把盖被揭开或者做出种种可笑的举动，便没有放开他的右手。病人起初不作声，不久却吵着要小便了，但也不见有人来给他松绑，他不停地吵着，终于骂起不堪入耳的话来了。

“我来救救你罢，”第八床跳跃着说，他摆出滑稽的脸相走过来了，他好像准备来做一件冒险而有趣的事情似的。“我放了你，你要规矩点啊！”他故意装出教训的调子说，他真的蹲下去解带子。

“我晓得，”第六床短短地认真地答道。

手松开以后，第六床满意地笑了。但这笑容是相当可怕的，他好像不知道自己为了什么在笑似的。但是他明明白白地说：“好啦，开船啦！”

“你不是说要小便吗？”第八床忍住笑霎着眼问道，他大概盼望着第六床再闹点笑话出来吧。

“我啊过啰，我刚才在岸上啊过啰，”第六床答得很爽快。

“胡小姐，不得了，第六床在床上小便啦！”第八床故意大惊小怪地叫起来。

“不要紧，等他去罢，”刘小姐做出厌烦的样子答道。

这以后第六床倒反而安静下来了。他不动，也不吵闹，只是不时地念着：“快到家罢……还不到！……好慢啊！……快到啰……”

这机械的，病态的声音意外地把我感动了。“不管他怎样地受苦，在这些时候他念念不忘的，就只是他一个家和一个老母亲啊！”这样一想，我也禁不住想起我那久别的老父的面容来了。

开晚饭的时候，老许给我端了大卤面来。今天我胃口很好，吃完满满的一大碗面，还觉得有点饿。

“陆先生，我以后不来啰，”老许来收钱的时候，他忽然带着沮丧的神情对我说。

“怎么，你不干啦？”我惊讶地问道。

“老板把馆子顶出去了。他就要到桂林去，叫我跟他一块儿去，”老许答道。

“你老板去干什么？”

“他去帮忙搬工厂，说是很大的机器厂啊，我们老板有股子。”

我停了一下，才吐出一句：“那么你明天不来了？”不知为什么我起了惜别之感。我照平常加倍地把小费给了他。

“谢谢你。我吃过晚饭就进城去，”老许也露了留恋之色，但是他微微一笑又说：“将来你陆先生有事情，我来给你帮忙啊。”

“好的，再见，”我对他点点头。心里却耽心着杨大夫的家。“战事大概更紧急了罢，”我不能不这样想。

老许向他的主顾们一一地辞行，这需要相当长的时间。他还没有离开病室，先前买药的两个人回来了。我看见他们立在条桌前跟胡小姐讲话，接着胡小姐就飞也似地跑了出去。

“药买来了，是不是会太迟呢？病应该有了转机罢，”我想着，我祈祷似地想着。他的受苦引起了我极深的同情，我早已忘却被传染的危险了。

王大夫来看着第六床把那白色的药片吞下去了。那两个朋友在病床前一直站到天黑，都没有机会跟病人清清楚楚地交谈一句。病人好几次用诧异的眼光看他们，他大概已经忘掉他们中间的友情了。两个朋友低声商量了一会，终于失望地离开了病室。

晚上查病房时，常常看见的几位大夫都到了，他们经过第六床跟前，我听见黄大夫问林大夫道：“明天搬过去，这只手怎么办？”

“我预备明早晨给他取掉，现在只有牺牲了，”林大夫毫无表情地答道。

“这太可惜了，”黄大夫摇摇头叹口气说。

在我的病床前他们只停留了一分钟，黄大夫看了我一眼，一句话也没有问，就满意地过去了。杨大夫走在最后，她从工作衣的袋子里取出一本小书丢在我的枕畔，说了句：“你明天可以看看。”便追上他们去了。

我拿起书来，读着那书名：“在甘地先生的左右”，书名下面印着一幅甘地的画像，在甘地的身旁坐着一个缠着印度衣服的圆圆脸的中国青年。这封面引动了我的好奇心。但是在这病室里的电灯光下，我无法读这些印在土纸上面的不太清晰的小字，我决定听从杨大夫的话，把这本薄薄的小书留到明天来翻读。此刻呢，我倒想闭上眼睛睡它一觉！

眼睛的确闭上了。可是我始终没有能够好好地睡一会儿，刚刚一打瞌睡，马上就惊醒了。我脑子里装满了那许多事情，它们不让我休息，它们逼着我思索，逼着我回想。

第六床还不时地咕噜着，因为声音不大，我也不去注意。不过后来我无意间睁开眼睛，我看见两个黑影立在第六床的左面。我吃惊地仔细一看，是两个小孩。

“朱库员，朱库员！”身材较高的一个低声唤着。

“啊，你们来啦，很好，很好！”第六床忽然大声说。

“张股长喊我们来伺候朱库员的，”那个小孩又说。

“很好，很好，你们把行李给我拿下船去，”第六床正经地吩咐道。

两个孩子莫明其妙地呆望着。

“去啦，去啦！”第六床催促道。

第八床在旁边插嘴了：“他说胡话，你们不要理他。”两个孩子听见这话，便蒙着嘴笑起来，跑出去了。

等一会两个孩子又跑进来了。他们站在那病床旁边，不知道应该做什么事好。

“你们喂他吃点水吧，”第八床又提议说。

较大的那个小孩真的就拿起茶壶放到病人嘴边，一面说：“朱库员，吃点水罢。”

第六床顺从地喝了几口，忽然推开壶短短地说：“不吃啦，我快到家啦！”

这两个小孩又闲着了。他们站了一会，觉得没有趣味，又一起跑到外面去了。

我睡到下半夜（其实我已经醒过了好几次，但这次醒之前睡得比较久一点），忽然被一个熟习的声音唤醒了。“陆先生，陆先生！”第六床轻轻地但固执地唤着。

我看了他一眼，却故意不出声。接着我把脸掉开不再看他，我怕他会拿疯话来同我纠缠。

“陆先生，陆先生，我求你，听我说两句话，”第六床带着悲声恳求道，声音低，但很清楚，而且正常，含着深的情感，我吃了一惊，便又掉过脸去。

第六床的脸朝着我。脸色青得可怕，两眼含着泪水，口里不停地叫着：“陆先生。”

“什么事?”我问道，我的心软了。全个病室里除了林小姐穿着红绒线衫坐在明亮的电灯下看书外，醒着的恐怕只有我和他两人罢。两个小孩穿着衣服在十一床的空床板上睡熟了。

“我晓得我的病不会好啰。我并不怕死。不过我想起我娘……”他抽泣地说，我不耐烦地打断了他的话。

“你不要乱讲，你不会死的！”我说。

他叹了一口气，又说：“就说不死，这只手也成残废啦。我哪里有脸回去见我娘！我实在对不起她。……如果我死啦，请你给我娘写封信，把我现在的情形告诉她，说我临死还想着她，我后悔没有听她的话，”他愈说下去，眼泪愈淌得多，话语愈显得吃力。

“夜深啦，睡觉罢，明天说不是一样吗？”我一边安慰他，一边也想中止这谈话，我的心已经被他的话搅乱了。

“请你原谅我。明天我害怕我又糊涂起来。现在我清清楚楚。第一床那个病人今天已经取了石膏，他快要出院啰。我的伤比他轻得多。这两天我烧得真难过……我不晓得我干了什么事情，大家都看不起我，都在笑我……我真恨，我生这种病。我不是没有羞耻心的人。……请你一定给我娘写封信，说我对不起她，信封上你就写××、×××、××××，五号门牌交朱云标母亲收。”

“好，我一定给你写，你放心罢，”我爽快地答应下来。我不相信他的病一两天便有问题，他会用得着我来写这封信，我只是用这允诺来宽慰他的心，我应该说，他那被回忆折磨着的心，希望他能安静下来，不要再拿他的苦痛来折磨我。

“××、×××、××××，五号门牌朱云标母亲收，你记得罢？”他露出感谢的样子，接着又叮咛地问了一遍。

“记得，”我顺口答道，其实我听过去就忘了，我并没有想到我应该记住这个地址。

“谢谢你。还有，”他迟疑地说：“我女人，请你添一笔，我不怪她，就说让她改嫁罢，我脾气跟她合不来，她过来一个多月，我跟她相打，就出来了。我朋友都不晓得我结过婚。”这是一个不小的秘密，他居然拿来向我这个陌生人吐露。我看他说这几句话时，是很费踌躇的：他似乎在思索着，是不是要说出来，但终于断念似地说了。

“难道他还是在说胡话吗？不然他为什么向我这个陌生人说？”我忽然怀疑起来。我注意地望着他，我从他脸上得到一个解答。

他刚刚拿被单揩了脸，擦了眼睛，脸上没有一点泪痕。看那表情，他好像是看透一切澈悟了似的。还是一个正直，善良的农民脸相，但比我第一次看见他时消瘦多了，眼里射出和善的光，再没有丝毫狂乱的痕迹。他是清醒的，至少在这一刻他是清醒的，也许比我还清醒呢！

“好，我写，我写，我照你的意思写，”我感动地说。我觉得一阵难过，现在他没有哭，倒是我要哭了。

"谢谢你啊。请问你今年多少岁?"

"二十四。"

"我还比你小,我才二十二岁,"他勉强地笑一笑(他笑得多苦涩),接着说,过后便掉过脸向着左边,不再理我了。"二十二岁……二十二岁……"他一个人低声念了好几次,以后便寂然了。我只看见他的肩头在耸动。

"难道他偷偷地在哭吗?"这个疑问苦恼了我许久,我许久都不能睡,思想潮似地涌上来,我难过,我痛苦,我烦躁,但是终于我疲倦,居然落进了昏沉的睡眠。

# 第九章　六月十一日（星期日）

今天我醒得最迟。我睁开眼时，看护小姐们正围着条桌在谈笑。奇怪的是，我刚把眼睁开，就觉得眼前较往日明亮，好像左边少去了什么障碍似的。我连忙向左边瞥视。第六床空了，只有一付光光的床板。那个耸立着的铁架子也不见了，我可以清清楚楚地看见第七床安静地睡在床上。

“他真的今天搬到内科病房去了，他在那边一定可以得到更周到的看护和治疗的，”我宽慰地想着，我感到一阵轻松，本来我觉得心上被什么重东西压得紧紧的。睡眠不足和做怪梦使我疲倦。

胡小姐来给我铺床的时候，我随口问她一句：“第六床搬到内科去啦?”

“搬内科？搬到太平房去啰!”胡小姐撅起嘴说，好像在生气似的。

这对我仿佛是一个晴天霹雳。过了半晌我才吐出问话来:“他死啦?什么时候死的?”

“没有一个人晓得,天刚发白,林小姐去给他洗脸,才发觉他已经断气啰。那两个小孩还睡得昏昏沉沉的。他脸色倒并不难看,就像在睡觉一样。不过近看就看得出他眼睛微微睁开,大眼角上嵌得有眼泪。这是林小姐告诉我的。……”

胡小姐的声音有点颤动,可见她对这个陌生人的病死,是觉得遗憾的。那么我呢,我想起昨夜我和他中间的一段对话,我感到强烈的悔恨了。要是我当时知道那就是他最后的吐露胸怀的时刻啊……

现在太迟了。……可是对于践我诺言的事还不算迟呢。那应该是他真挚的要求。我的信是必须写的!……可是地址呢?我寄到什么地方去呢?他昨夜亲口对我讲过两遍,为什么不好好记住呢,既然我对他说我会记牢的?

“我还可以从他的朋友,同事们那里打听到他家里的地址,我可以到库里去找他们,”后来我这样想着,我便不像刚才那样地着急了。

今天杨大夫来得比平日较早,刚铺好床她就来了。她先给别的病人换药。我正靠了墙坐着,挥着手回答第八床出院时的告别的招呼,今天他脚步比较平稳,而头上的白蝴蝶也已飞走了。他走后,第九床应该感到寂寞罢，我想。但是杨大夫走过来了。

“你坐起啦！很好。他们怎么不给你拿个‘靠背’来？”杨大夫带笑说；“Miss 李，请你给第五床拿个‘靠背’来！”（李小姐远远地答应一声，过一会她就把那个竹制的靠背给我拿来了。）

“杨大夫，你昨天给我的那本书我还没有看过啊，”我看见她，便记起她昨晚丢给我的那本小书，我对她说了真话。

“你慢慢看罢，”她温和地说，过后把眼光定在我脸上低声添了一句：“我现在给你抽线。”

“你不是说明天吗？”我惊喜地问，提早抽线表示我伤口长好了，这总算是比较可喜的消息。

“今天就可以啰。你没有买胶布吗？买了，好，拿出来罢。”她迈着大步走了。我的眼光落在第十二床的头上，那个挖了左眼的人正侧着脸听他妻子的低语。他头上仍然缚着绷带，但他现在好得多了！过了一会杨大夫又拿了换药的东西回来。

“你睡下来罢。……好，这样就好啰。……你把眼睛掉开不要看啊，”她叮嘱着，她侧着身子在我床沿上坐下来。她解开了我胸上的大绷带。“不要怕，不会太痛的，”她安慰我说。我的确感到好几下针刺似的痛。我忍耐着。一下……一下……最后我听见她说：“好啰，没有啰。再给你绑两天，带子就可以取消啰！你只要好好躺着，不要多动，过三四天就没有事了。你掉过脸来罢。”于是她站起来，包好剩余的纱布，拿着那个换药时用的缸子走了。

“杨大夫，”我在后面唤道。

“我还要来的，”她头也不回地答道。

过了十多分钟她果然来了。“杨大夫，谢谢你啊，”我说。

她笑了笑：“你出院以后打算怎样？”

我还没有考虑过这个问题。我楞了一下，才答道：“我打算找个地方养一下。或者先到我父亲的朋友家里去暂住几天。”其实我能不能到那里去住，还没有把握，他那位太太这些天都没有派一个人来看过我，她会把我当作子侄辈看待吗？

“也好。你应该好好养两个月。你的病十之八九不会再发的，”她亲切地说。

“是，”我答道。我忽然发觉在她两眉中间现出了“川”字形的皱纹，我立刻明白她是为着什么事情忧愁，我忍不住柔声问她：“杨大夫，你是不是在想你的家？”

她吃惊地抬起头，接着又把头向后一仰，一缕黑发闪光似地飞到后面去。她咬了咬嘴唇，忧郁的眼光老是在我脸上盘桓，最后她终于用平稳的声音报告我一个消息：“我明天一早就回湖南去。”

“真的？你骗我吧？”我变了脸色，着急地说，我听得见自己的心在砰砰地跳。

“我已经向院长请了假，”她还是用平稳的声调说，可是我觉得她的每一个字都是相当沈重的，“我回去把家里人接出来，我想一个半月就可以回来的。我兄弟身体不好，此外家里就只有一个母亲，一个嫂嫂和一个四岁的侄女。所以我要去一趟。”

“我把书还给你，”我想说几句安慰她的话，可是偏偏找不到，却说出来这样的一句，我从枕头下把两本书拿出来预备交给她。

“不要还我，你留着做个纪念罢，我回来，你已经早走了，”她边说边做手势阻止我，但接着又伸过手来把书拿了去：“我给你签个字罢。”她摸出自来水笔，在两本书上都写了字，然后递还给我：“我喜欢这本书，它把甘地写得可爱极了（她指着《在甘地先生的左右》）。他多么善良，多么近人情，他真像一个慈爱的母亲。真正的伟人应该是这样的。你常常读这本书，就仿佛你自己在甘地身边一样，会使你变得善良些，纯洁些，或者对别人有用些。”她脸上慢慢地现出了光辉的笑容，眉宇间阴郁的皱纹已经消散了。好像她在甘地的伟大的人格之前，连她个人的烦愁也已忘去了似的。她停了半刻，忽然下了决心似地说：“我走啰。”她刚刚踏了一步，又转回来，诚恳地添加说：“你的病十之八九不会再发的，你可以安心，我不会骗你。从今天起我把你交给张大夫了。你记着你是他的病人啊!”她微笑地走了。

“杨大夫！杨大夫!”我连忙喊道。

她微笑着转过身来看我。

“以后我可以写信给你吗?”

“你就寄到医院来罢,”她答道。这次她真的走了。虽然她还站在条桌的右端同汪小姐讲话，可是，对于我，她是真的走了。

我手里还拿着她给我的两本书，我想起她刚才说的那段话，我埋下头翻开书的第一页来看，那是里封面，上面用蓝墨水写着两行相当娟秀的字：

××弟存念

木华、一九四四、六月十一日。

两本书上都有着这同样的笔迹。

我怀着感激的心情抬起头再去看她。她正走到门口，穿着宽大的白色工作衣的摇幌的背影在我眼前亮一下就消失了，永远地消失了。

第十床的广东青年正坐在床上，一边吃着面包，一边望着我傻笑。

# 第十章　六月十八日（星期日）

今天又是星期天，这是我在医院里过的第三个星期天了。可是我今天上午就要出院了。

张大夫进来的时候，我正坐在床上，远远的就唤着他："张大夫，我要出院哪！"

"好的，我马上给你签个出院证。你上半天走吗下半天走?"他含笑答道，这么一来他的眼睛小得好像是一笔绘成的了。

"上半天走，"我答道。

张大夫走到我床前来，一面说："让我再看看你的伤口。"

我躺下来，自己解开衣服，露出胸腹。我已经不用大绷带了。伤口上仅只盖着一叠纱布，是用胶布黏牢了的。张大夫把胶布揭起，纱布拿开，伤口上干干净净的结了一条黑疤。

"很好，不用再上药了!"张大夫满意地说；"你等等，我给你洗一下。”他到药橱前去挟了一块酒精棉花来，把我的伤口擦了两擦。“你把衣服扣好罢。以后当心点，就没有问题了。”

“张大夫，杨大夫有信来吗？”我迟疑半晌，终于吐出这问话来。

“没有，不会这样快罢。这两天信啊，电报啊，都挤得不得了，当然慢起来哪，”张大夫回答时，他的笑容不看见了。

“你看战事不要紧罢，”我带着焦虑地问道。

“也难说。不过我有点替杨大夫耽心。刚才听说衡山已经丢了。不知道是不是真的？现在外面谣言太多，弄得人真假都难分辨了，”张大夫放低声音说，他伸手在他稀稀落落的头发上搔了一下。

“恐怕不是真的罢，不过我只希望杨大夫平安无事早点回来，”我说到这里，觉得喉咙像被什么东西堵塞住了，再也吐不出一个字来，我便埋下头不作声了。

“杨大夫不会有问题的，”他简简单单地说了一句；停了片刻又添加说：“那么你就准备罢。”

我没有什么可准备的，我的东西全收拾好了，衣服也穿好了。就只等着去办出院手续，我也知道那手续是颇简单的。

“啊，还有我上次讲过免费的事，”张大夫走了几步又转身回来对我说，“昨天我到入院处看过你的帐，你还存七千多块钱，所以我不好去跟院长谈免费的事。我想也用不着了，是不是？”

“是的，”我简单地说。我应该坦白地说，我感到意外的惊喜：我的花费竟然只有这么一点点！自然我同意他的话，并且我感激他还记得我进来时他对我提过的那件事情。

张大夫签过字后，我便拿着林小姐的通知单到入院处去算帐。星期日上午入院处照常办公，我领回了七千四百五十元的余款，就把这零数四百五十元送给老郑、老张、老李三个工友作为赏钱。那个永远板着面孔粗声讲话的工友居然带着谄媚的微笑向我道谢。看着这张不自然的笑脸我不由得想起第六床朱云标的受苦的面容。人为什么要那样地对待他的同胞？难道就只为了金钱的缘故？

我提着衣包向张大夫，林小姐告别（林小姐从十六日起就换来做早班了，这时别的小姐都不在病室里），我留恋地望着他们的笑容（并且我在他们脸上看见了杨大夫的笑容！）挥着手说：“谢谢，再见！”我终于跨出了门槛。

外面是一个晴天。昨晚落了一夜大雨，院子里开残的芍药全打落了，泥地上还留着一些花瓣。芭蕉倒给雨洗得碧绿。我沿着石板路走出去。刚跨出第二道门，我遇见了十七天前引我进第四病室里来的那个看护小姐。

我笑着想：这真是巧遇了。我带笑地向她打一个招呼。她的头微微动了一下，她似乎不认识我。我还想对她讲一两句话。但她匆匆地转湾走了。“她怎么会记得我呢?”想着，我不禁失笑了。

今天是星期，门诊部全关着。天井里和两边石阶上冷清清的，没有一个候诊的病人。我抬头望入院处的大钟，才九点一刻。

我用不着再在这里逗留了。

我带着胆囊进来，仍然带着胆囊出去。我并不后悔白白割了一次胆囊。我觉得这十八天的长时间我并不是完全睡过去了的。我好像得到了一点东西。但要是有人问我我究竟得到了什么，我实在也说不好。倘若被追问，我只好拿那两本小书来搪塞，同时我自然而然地想起了杨大夫的话：“变得善良些，纯洁些，对别人有用些。”

这并不是说我已经变得善良了，纯洁了，对别人有用了。这只是说我已经知道我应该变得善良，纯洁，对别人有用。以前我连这个还不知道呢！至于能不能变成那样，那是以后的事。

现在，现在呢，我必须坐洋车到我那位父执家里去。

我跨出了医院门，漫天的阳光在等候我。

## 图书在版编目（CIP）数据

第四病室 / 巴金著. — 北京：中国国际广播出版社，2013.1
（良友文学丛书）
ISBN 978-7-5078-3532-8

Ⅰ. ①第…　Ⅱ. ①巴…　Ⅲ. ①长篇小说－中国－现代
Ⅳ. ①I246.5

中国版本图书馆CIP数据核字（2012）第265655号

# 第四病室

| | |
|---|---|
| 著　者 | 巴　金 |
| 责任编辑 | 张娟平　杜春梅 |
| 版式设计 | 国广设计室 |
| 责任校对 | 徐秀英 |
| 出版发行 | 中国国际广播出版社（83139469　83139489[传真]） |
| 社　址 | 北京复兴门外大街2号（国家广电总局内）<br>邮编：100866 |
| 网　址 | www.chirp.com.cn |
| 经　销 | 新华书店 |
| 印　刷 | 环球印刷（北京）有限公司 |
| 开　本 | 620×920　1/16 |
| 字　数 | 135千字 |
| 印　张 | 17 |
| 版　次 | 2013年1月 北京第一版 |
| 印　次 | 2013年1月 第一次印刷 |
| 书　号 | ISBN 978-7-5078-3532-8/I・415 |
| 定　价 | 46.50元 |

CRI 中国国际广播出版社　欢迎关注本社新浪官方微博　官方网站 www.chirp.cn

版权所有
盗版必究

# 人文阅读与收藏·良友文学丛书

| | | |
|---|---|---|
| (1) | 鲁　迅　编译 | 竖　琴 |
| (2) | 何家槐　著 | 暧　昧 |
| (3) | 巴　金　著 | 雨 |
| (4) | 鲁　迅　编译 | 一天的工作 |
| (5) | 张天翼　著 | 一　年 |
| (6) | 篷　子　著 | 剪影集 |
| (7) | 丁　玲　著 | 母　亲 |
| (8) | 老　舍　著 | 离　婚 |
| (9) | 施蛰存　著 | 善女人行品 |
| (10) | 沈从文　著 | 记丁玲 |
| | 沈从文　著 | 记丁玲续集 |
| (11) | 老　舍　著 | 赶　集 |
| (12) | 陈　铨　著 | 革命的前一幕 |
| (13) | 张天翼　著 | 移　行 |
| (14) | 郑振铎　著 | 欧行日记 |
| (15) | 靳　以　著 | 虫　蚀 |
| (16) | 茅　盾　著 | 话匣子 |
| (17) | 巴　金　著 | 电 |
| (18) | 侍　桁　著 | 参差集 |
| (19) | 丰子恺　著 | 车箱社会 |
| (20) | 凌叔华　著 | 小哥儿俩 |
| (21) | 沈起予　著 | 残　碑 |
| (22) | 巴　金　著 | 雾 |
| (23) | 周作人　著 | 苦竹杂记　（暂缺） |